SERIE DE LA APLICACIÓN DE CIENCIAS

BIOLOGÍA

Estudio de seres vivos

con una introducción al método científico

Seymour Rosen

GLOBE FEARON

Pearson Learning Group

THE AUTHOR

Seymour Rosen received his B.A. and M.S. degrees from Brooklyn College. He taught science in the New York City School System for twenty-seven years. Mr. Rosen was also a contributing participant in a teacher-training program for the development of science curriculum for the New York City Board of Education.

Cover Photograph: Lynn Funkhouser/Natural Selection

Photo Researcher: Rhoda Sidney

Photo Credits:

p. 33, Fig. A: Helena Frost

p. 33, Fig. B: Al Ruland

p. 34, Fig. E: Czechoslovakia Tourist Office

p. 34, Fig. F: Salt River Project

p. 35, Fig. G: Province of Quebec Film Bureau

p. 53, Fig. C: Harry E. Mopsikoff

p. 53, Fig. D: U.S. Department of Agriculture

p. 53, Fig. E: U.S. Department of Agriculture

p. 54, Fig. F: William A. Frost

p. 55, Fig. G: William A. Frost

p. 55, Fig. H: William A. Frost

p. 57, Fig. I: William A. Frost

p. 57, Fig. J: William A. Frost

p. 58, Fig. K: Photo Researchers

p. 59, Fig. L: William A. Frost

p. 59, Fig. M: William A. Frost

p. 59, Fig N: William A. Frost

p. 60, Fig. O: William A. Frost

p. 70: Peter Vandermark/Stock, Boston

p. 93, Fig. H: Alvin E. Staffan/Photo Reasearchers

p. 113, Fig. I: Dan Guravich/Photo Researchers

p. 142, Fig. D: Barry L. Runk/Grant Heilman

p. 143, Fig. J: Blair Seitz/Photo Researchers

p. 150, Fig. E: Richard Carlton/Photo Researchers

p. 209, Fig. A: Runk/Schoenberger, Grant Heilman

p. 209, Fig. B: Grant Heilman

p. 209, Fig. D: UPI/Bettmann Newsphotos

p. 212, Fig. H: Michael Heron

p. 218: Rhoda Sidney

ISBN 0-8359-0700-7

Printed in the United States of America

6 7 8 9 10   06 05 04 03

1-800-321-3106
www.pearsonlearning.com

ÍNDICE

Introducción a la biología

¿Te has preguntado alguna vez en qué consistes? Los antiguos griegos creían que todo consistía en cuatro sustancias: la tierra, el aire, el fuego y el agua. Sin embargo, con el invento del microscopio, se descubrió un mundo nuevo. Las personas se dieron cuenta de que los seres vivos consistían en células.

Al utilizar el microscopio, los científicos podían observar seres vivos microscópicos que jámas habían visto. ¡Hasta averiguaron que en una sola gota de agua había centenares de organismos!

En este libro vas a estudiar la biología, que es el estudio de los seres vivos. Aprenderás sobre los organismos de una célula más simples, tales como las bacterias, los protistas y los hongos. También aprenderás sobre los organismos más complejos de muchas células, tales como las plantas y los seres humanos.

Sin embargo, y aún más importante, cuando termines este libro, tendrás conocimientos básicos del mundo que te rodea.

¿Cómo miden las cosas los científicos?

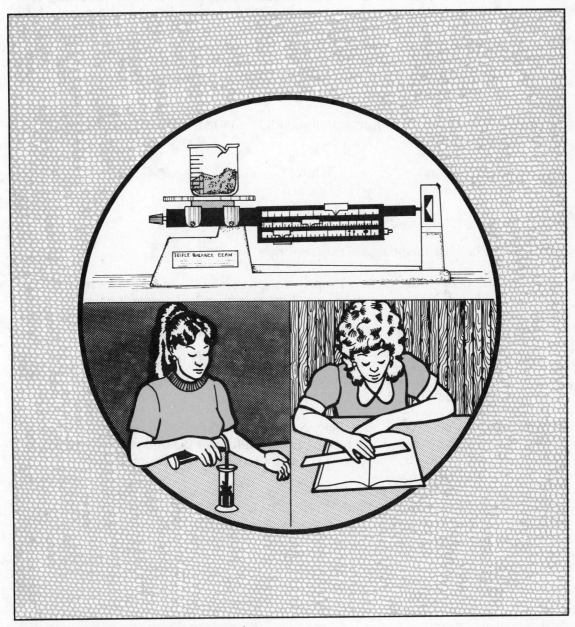

área: medida del tamaño de una superficie

longitud: distancia entre dos puntos

masa: cantidad de materia de que se constituye un objeto

temperatura: medida del calor o del frío de algo

volumen: medida de la cantidad de espacio que ocupa un objeto

peso: medida de la atracción de la gravedad sobre un objeto

LECCIÓN 1 | ¿Cómo miden las cosas los científicos?

¿Cuánto pesas? ¿Qué mides de alto? ¿Cuántas baldosas cubrirán el suelo? ¿Cuánta leche se debe añadir a la masa de una torta? ¿Qué es la temperatura de afuera? Todas estas preguntas se contestan con las medidas.

Las medidas son importantes en la vida diaria. Las personas usan las medidas todo el tiempo: para ir de compras, para cocinar, para la construcción. Las medidas también son muy importantes en las ciencias.

Una medida tiene dos partes: número y unidad. La unidad es la cantidad normal que se usa para medir algo.

EJEMPLOS   100 gramos   25 litros

número   unidad   número   unidad
             normal   normal

Hay muchas clases de medidas. Las más comunes son:

LA MASA y el peso están relacionados pero no son iguales. La **masa** es una medida de la cantidad de materia de que se constituye un objeto. El **peso** es una medida de la atracción de la gravedad sobre un objeto. La unidad básica de la masa en el sistema métrico es el kilogramo (kg). Se mide la masa con una balanza.

LA LONGITUD es la distancia de un punto a otro y se mide con una regla. La unidad básica métrica de la longitud es el metro (m). Puedes usar una regla métrica para medir la longitud.

EL ÁREA es una medida de <u>superficie</u>, o sea, el tamaño de algo en dos direcciones. Puedes hallar el área de un rectángulo al multiplicar lo largo por lo ancho. Se mide el área en unidades cuadradas, por ejemplo, en metros cuadrados (m^2).

EL VOLUMEN es la medida de la cantidad de <u>espacio</u> que ocupa un objeto, o sea, su tamaño en tres direcciones. El <u>litro</u> (L) es la unidad básica de volumen en el sistema métrico. Una <u>taza para medir</u> o una <u>probeta graduada</u> se usa para medir el volumen de los líquidos.

EL VOLUMEN de los sólidos se puede medir en centímetros cúbicos (cm^3). Puedes hallar el volumen de un cubo o un rectángulo al multiplicar lo largo por lo ancho por lo alto. 1000 centímetros cúbicos son 1 litro.

LA TEMPERATURA es la medida del calor o del frío que tiene un objeto. Se mide la temperatura con un termómetro en grados Celsio °C o en grados Fahrenheit °F. Generalmente se usa la escala Celsio en las ciencias.

En los Estados Unidos, la gente usa por lo general las unidades de medida inglesas, tales como las onzas, las libras, las pulgadas y los pies. En la mayoría de los otros países, se usan las unidades métricas. Las unidades métricas incluyen el gramo, el kilogramo, el metro y el centímetro. Los científicos también usan el sistema métrico. En las ciencias, vas a usar las unidades métricas la mayoría de las veces.

El sistema métrico se basa en las unidades de diez. Cada unidad es diez veces más pequeña o más grande que la unidad siguiente. Esto quiere decir que una unidad se hace más grande al multiplicarla por 10 y se hace más pequeña al dividirla por 10. Los prefijos describen el valor de una unidad. A continuación hay una lista de los prefijos y sus significados.

PREFIJO	SIGNIFICADO	
kilo-	mil (1,000)	
hecto-	cien (100)	cada uno, más grande por un múltiplo de diez
deca-	diez (10)	
deci-	un décimo (1/10)	
centi-	un centésimo (1/100)	cada uno, más pequeño por un múltiplo de 1/10
mili-	un milésimo (1/1,000)	

Usa la tabla de arriba para contestar las siguientes preguntas.

1. Para cambiar de decenas a centenas, multiplicas por _____ .
   _{1, 10, 100}

2. Para cambiar de centenas a millares, multiplicas por _____ .
   _{1, 10, 100}

3. En el sistema métrico, para cambiar de una unidad a la próxima que es más alta, ¿qué tienes que hacer? _____

4. Para cambiar de una unidad a la próxima que es más baja, tienes que dividir

   por _____ .
   _{1, 10, 100}

5. ¿Cuál de los prefijos representa el valor más grande?

   a) ¿deca- o kilo-? _____   d) ¿hecto- o kilo-? _____

   b) ¿kilo- o mili-? _____   e) ¿centi- o deci-? _____

   c) ¿centi- o mili-? _____   f) ¿deca- o deci-? _____

1. En el sistema métrico, la unidad de <u>masa</u> es el _____ .
   _{metro, kilogramo, libra}

2. La masa y el peso _____ son iguales.
   _{sí, no}

3. _____ es una medida de la cantidad de materia en un objeto.
   _{La masa, El peso}

Figura A

4. ¿Qué instrumento se usa para medir la masa? _____

5. ¿Qué es la masa del objeto en el diagrama? _____

CIERTO O FALSO

En el espacio en blanco, escribe "Cierto" si la oración es cierta. Escribe "Falso" si la oración es falsa.

_____ 1. El peso es la medida de la atracción de la gravedad sobre un objeto.

_____ 2. Los científicos usan las unidades de medida inglesas.

_____ 3. El prefijo "centi-" representa un centésimo (1/100).

_____ 4. Se usa una probeta graduada para medir la masa.

_____ 5. La unidad de medida básica del sistema métrico es el metro.

_____ 6. El volumen es la medida de la cantidad de materia de que se consti tuye un objeto.

_____ 7. Un kilogramo es inferior a un gramo.

_____ 8. Una medida tiene dos partes.

_____ 9. La unidad es la cantidad que se usa para medir algo.

_____ 10. En la mayoría de los países se usa el sistema métrico.

La longitud se mide con una regla métrica. Una sección de una regla mixta de sistema métrico y de pulgadas se muestra en la Figura B. Por el lado métrico de la regla, la distancia entre las líneas numeradas equivale a un centímetro. Cada centímetro se divide en 10 partes iguales. Cada una de estas partes equivale a un milímetro.

Este diagrama muestra una regla mixta de sistema métrico y de pulgadas.

Figura B

1. ¿Qué valor representa el prefijo <u>mili-</u>? _____

2. ¿Qué valor representa el prefijo <u>centi-</u>? _____

3. ¿Cuál es <u>más grande</u>, un metro o un milímetro? _____

4. ¿Cuántos milímetros hay en un centímetro? _____

5. Se puede escribir la longitud hasta el punto A como 45 mm.

   También se la puede escribir como _____

   45 cm, 4.5 cm, 4.5 mm

6. La longitud hasta el punto B se puede escribir como _____ mm o _____ cm.

Mide cada una de las siguientes longitudes. Escribe las longitudes a la derecha en centímetros y en milímetros.

7. _____   7. ___ cm ___ mm

8. _____   8. ___ cm ___ mm

9. _____   9. ___ cm ___ mm

10. _____ 10. ___ cm ___ mm

A la derecha de cada longitud dada por escrito, <u>traza</u> una línea de esa longitud.

a)   92 mm

b)   9.2 cm

c)   43 mm

d)   3.5 cm

El cuadrado de la Figura C tiene un área de 2 centímetros cuadrados (2 cm²).

Área = 1 × w (largo × ancho)

= 2 cm × 2 cm

Área = 4 centímetros cuadrados (4 cm²).

Figura C

Calcula el área de cada uno de los siguientes rectángulos. (Tienes que medir las Figuras G y H por tu cuenta.)

Figura D

_____

Figura E

_____

Figura F

_____

Figura G

_____

Figura H

_____

CALCULA EL ÁREA

Calcula los áreas de los siguientes rectángulos:

1. 5 metros × 5 metros _____

2. 5 cm × 5 cm _____

3. 10 milímetros × 10 milímetros _____

El volumen de los líquidos se mide con una probeta graduada. Una probeta graduada es un tubo de vidrio marcado con divisiones para indicar la cantidad de líquido que hay por dentro. Para medir el volumen de líquidos, tienes que poner la probeta al nivel de la vista. La superficie del líquido tendrá una curva "boca abajo". Debes fijarte en la marca que esté al nivel del fondo de esta curva.

¿Qué es el volumen del líquido en esta probeta graduada?

_____

Figura I

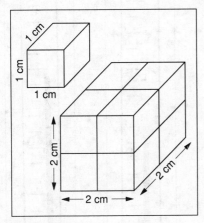

Figura J

¿Qué es el volumen de un cubo que mide 2 cm × 2 cm × 2 cm?

Volumen= $l \times w \times h$ (largo × ancho × alto)

= 2 cm × 2 cm × 2 cm

Volumen= 8 centímetros cúbicos (8 cm³).

Calcula el volumen de cada uno de los siguientes cubos:

Volumen

1. 2 cm × 5 cm × 1 cm _____

2. 8 m × 2 m × 2 m _____

3. 1 mm × 1 mm × 10 mm _____

4. 4 cm × 2 cm × 3 cm _____

5. 5 m × 3 m × 6 m _____

PARA LEER UN TERMÓMETRO DE CELSIO

Se mide la temperatura con un termómetro. Muchos de los termómetros, aun los que conoces bien, se hacen de tubos de vidrio. Al fondo del tubo hay una parte más ancha que se llama la cubeta. La cubeta se llena con un líquido, tal como el mercurio. Cuando se calienta la cubeta, el líquido en la cubeta se dilata, o sea, ocupa más lugar. Sube por el tubo. Cuando se enfría la cubeta, el líquido se contrae, o sea, ocupa menos lugar. Baja por el tubo.

En los lados de un termómetro hay una serie de marcas. Se lee la temperatura al mirar la marca hasta donde ha subido o bajado el líquido.

En los espacios en blanco, escribe la temperatura que se ve en cada termómetro celsio.

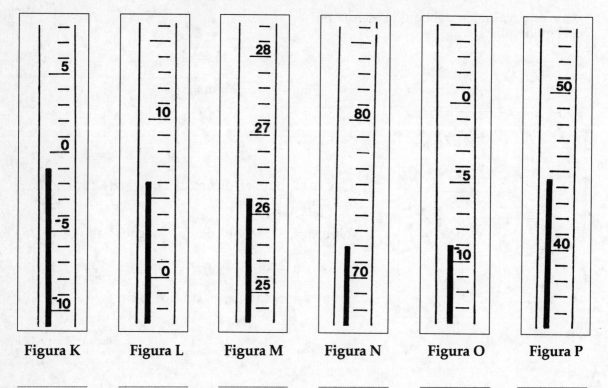

Figura K	Figura L	Figura M	Figura N	Figura O	Figura P

AMPLÍA TUS CONOCIMIENTOS

Un centímetro cúbico equivale a un mililitro (mL). ¿Cuántos <u>litros</u> de agua se pueden echar en un tazón de 1800 cm³? _____

¿Qué son los métodos científicos?

2

datos: registro de las observaciones
hipótesis: solución propuesta para un problema que se basa en conocimientos adquiridos
métodos científicos: guía para solucionar problemas

LECCIÓN 2 | ¿Qué son los métodos científicos?

Sin darte cuenta, resuelves problemas todos los días. No siempre piensas en cómo resolver un problema en particular. Resuelves los problemas de una manera "natural", de una manera que "tiene sentido". Y, generalmente, sí tiene sentido.

Por ejemplo, supongamos que metes la llave en la puerta de la casa y tratas de darle vuelta, pero no se mueve. Te preguntas qué está mal. Revisas la llave para asegurarte de que sea la correcta. Luego, lo intentas de nuevo. Pero, todavía no se mueve. ¿Entonces, qué? Puedes agitar la llave. O, puedes tirar de la puerta por el pomo mientras tratas de dar vuelta a la llave. Una de estas soluciones te puede resultar. Si no, empleas otros métodos hasta que el problema esté resuelto.

Sin saberlo, resuelves problemas de un modo muy parecido al de un científico. Usas los **métodos científicos.** Los métodos científicos son una guía que se usa para resolver los problemas. Con ellos se hacen preguntas, se hacen observaciones y se comprueban las soluciones de una manera ordenada. Los científicos siguen ciertos pasos para resolver los problemas. Los pasos para los métodos científicos son:

- **IDENTIFICAR EL PROBLEMA** Exprésalo claramente, por lo general en forma de pregunta.

- **REUNIR INFORMACIÓN** Investígalo; haz preguntas. Descubre lo que ya se sabe sobre el problema.

- **HAZ UNA HIPÓTESIS** Una **hipótesis** es una solución que se propone para explicar por qué sucede algo.

- **COMPRUEBA LA HIPÓTESIS** Haz experimentos y revisa la situación para comprobar la hipótesis.

- **HAZ OBSERVACIONES DETALLADAS** Apunta o anota todo lo que perciben tus sentidos. Anota los **datos.** Haz anotaciones detalladas en un registro.

- **ORDENA Y ANALIZA LOS DATOS** Ordena los datos. Muchas veces los científicos usan tablas y gráficas para ordenar los datos. Averigua lo que sig nifican los datos.

- **SACA UNA CONCLUSIÓN** Explica los datos. Afirma si los datos comprue ban o no la hipótesis.

Los diferentes problemas requieren diferentes maneras de resolverlos. No hay que usar todos los pasos de los métodos científicos. Además, se pueden usar los pasos en cualquier orden.

A continuación hay seis figuras y seis leyendas. Cada leyenda describe una de las figuras. Escoge la leyenda que mejor describe cada ilustración. Escribe la leyenda apropiada en el espacio en blanco.

Haz tu selección de estas leyendas:

Identificar el problema	Hacer observaciones detalladas
Reunir información	Anotar los datos
Hacer una hipótesis	Analizar los datos
Comprobar la hipótesis	Sacar una conclusión

Figura A

1. _____

Figura B

2. _____

Figura C

3. _____

Figura D

4. _____

Figura E

5. _____

Figura F

6. _____

Figura G

7. _____

Figura H

8. _____

HACER CORRESPONDENCIAS

Empareja cada término de la Columna A con su descripción en la Columna B. Escribe la letra correcta en el espacio en blanco.

	Columna A		Columna B
_____	**1.** analizar	**a)**	explica los datos
_____	**2.** los métodos científicos	**b)**	solución propuesta
_____	**3.** la conclusión	**c)**	comprobar la hipótesis
_____	**4.** la hipótesis	**d)**	pasos para resolver problemas
_____	**5.** hacer experimentos	**e)**	averiguar el significado

En los dibujos a continuación se ven dos historias distintas. Sin embargo, los dibujos para cada una no están en el orden (la secuencia) correcto. En la tabla debajo de cada conjunto de dibujos, haz una lista de los dibujos en el orden correcto. También, explica lo que sucede en cada dibujo. Por último, escribe una hipótesis (en forma de una pregunta) y una conclusión.

Figura I

Figura J

Figura K

Figura L

Paso	Figura	Explicación
1.		
2.		
3.		
4.		

Hipótesis: _____

Conclusión: _____

Figura M

Figura N

Figura O

Figura P

Paso	Figura	Explicación
1.		
2.		
3.		
4.		

Hipótesis: _____

Conclusión: _____

COMPLETA LA ORACIÓN

Completa cada oración con una palabra o una frase de la lista de abajo. Escribe tus respuestas en los espacios en blanco.

comprueban	observar	diferentes
problemas	pregunta	ya se sabe
datos	métodos científicos	sentidos
pasos		

1. Para comprobar una hipótesis, los científicos pueden _____ los sucesos naturales.

2. Cuando los científicos hacen investigaciones, pueden averiguar lo que _____ sobre un problema.

3. Tus _____ te ayudan a reunir información.

4. Una conclusión afirma si los datos _____ o no una hipótesis.

5. Generalmente se escribe un problema en forma de una _____.

6. Los científicos siguen ciertos _____ para resolver problemas.

7. Tú resuelves los _____ como lo hacen los científicos.

8. Los diferentes problemas se pueden resolver de maneras _____.

9. Los _____ son una guía que se usa para resolver problemas.

10. Los científicos usan las tablas para ordenar los _____.

AMPLÍA TUS CONOCIMIENTOS

Elena jamás ha probado los espárragos. Tiene miedo de que la enfermen. Durante la cena, ella prueba algunos. Le gusta el sabor, pero dentro de poco, se siente náuseas. Elena saca la conclusión de que los espárragos la enferman.

1. ¿Por qué es posible que la conclusión de Elena sea <u>equivocada?</u>

   _____

   _____

2. ¿Qué más podría hacer ella para comprobar su conclusión?

   _____

   _____

¿Cómo se hacen los experimentos con seguridad?

3

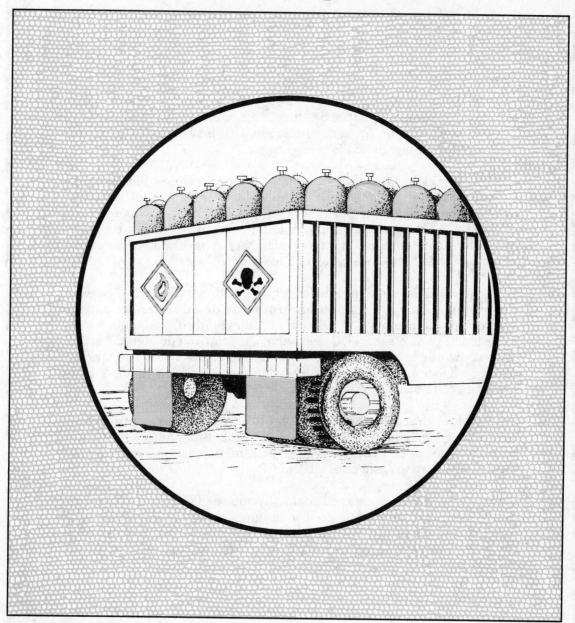

cáustico: lo que puede quemar e irritar la piel
símbolos de advertencia para la seguridad: señales que avisan sobre riesgos y peligros

LECCIÓN 3 | ¿Cómo se hacen los experimentos con seguridad?

Muchas de las actividades de aprendizaje en las escuelas incluyen experiencias que exigen participación directa. Las ciencias, especialmente, se prestan al método de "aprender haciendo". <u>Tú</u> investigas; <u>tú</u> haces que algo suceda; <u>tú</u> aprendes de lo que <u>tú</u> haces.

Las investigaciones científicas pueden ser emocionantes. Sin embargo, también pueden ser peligrosas. En los laboratorios científicos hay aparatos y materiales que pueden ser peligrosos si no se los manejen con cuidado. Por esta razón, es importante que siempre obedeces las reglas apropiadas para la seguridad. Las reglas para la seguridad sirven tanto para protegerte como para proteger a todos a tu alrededor.

En la página 17 hay una lista de las reglas que debes obedecer. Lee estas reglas con atención. Fíjate en los **símbolos de advertencia para la seguridad** que acompañan las reglas. En este libro, los símbolos de advertencia para la seguridad se incluyen al principio de algunas actividades para que te des cuenta de las cautelas debidas para la seguridad. Siempre debes fijarte en todos los símbolos para la seguridad y las declaraciones de cautela con todas las actividades.

Para evitar los accidentes en el laboratorio científico, siempre debes seguir las instrucciones de tu maestro o tu maestra. Jamás debes hacer una actividad sin las instrucciones del maestro o de la maestra. Además, nunca debes trabajar solo en el laboratorio.

Hay un riesgo que no tiene símbolo aunque sea la causa de más accidentes que cualquier otro riesgo. Ese riesgo es el de "hacer payasadas" o "jugar bruscamente". Estos comportamientos en el laboratorio pueden resultar en las heridas graves o hasta la muerte. Así que siempre PIÉNSALO BIEN antes de hacer tonterías.

ROPA PROTECTORA • Una bata protege la ropa de las manchas.
• Siempre sujeta la ropa suelta.

 SEGURIDAD PARA LA VISTA • Siempre hay que ponerte lentes protectores. • Si algo se mete en los ojos, enjuágalos con mucha agua.
• Asegúrate de que sabes usar el sistema de lavado de emergencia en el laboratorio.

 SEGURIDAD CONTRA INCENDIOS • Jamás debes acercarte a una llama más que lo necesario. • Nunca debes alargar el brazo por encima de una llama. • Siempre sujeta la ropa suelta. • Sujeta bien el pelo suelto.
• Recuerda dónde estén el extintor de incendio y la manta contra incendios.
• Cierra los grifos (las válvulas) para el gas cuando no estén en uso.
• Sigue siempre los procedimientos apropiados para encender los mecheros.

 VENENO • Nunca debes tocar, probar ni oler ninguna sustancia desconocida. Espera las instrucciones del maestro.

 SUSTANCIAS CÁUSTICAS • Algunas sustancias químicas pueden irritar y quemar la piel. Si la piel llega a tocar una sustancia química, enjuágala con mucha agua. Avisa al maestro inmediatamente.

 SEGURIDAD DE CALEFACCIÓN • Maneja objetos calientes con pinzas o tenazas o con guantes con aislante. • Coloca los objetos calientes sólo sobre una superficie especial en el laboratorio o sobre un cojinillo resistente al calor. Nunca debes colocarlos directamente en una mesa o un escritorio.

 OBJETOS AFILADOS • Maneja los objetos afilados con cuidado.
• Nunca apuntes un objeto afilado ni a ti mismo ni a otra persona.
• Siempre debes cortar en sentido opuesto al cuerpo.

 VAPORES TÓXICOS • Algunos vapores (o gases) pueden hacer daño a la piel, a los ojos y a los pulmones. Jamás debes inhalar los vapores directamente. • Siempre usa la mano para "empujar" una pequeña cantidad del vapor hacia la nariz.

 SEGURIDAD CON OBJETOS DE CRISTAL • Jamás debes usar ningún útil de cristal que sea astillado o roto. • Nunca recojas el cristal roto con la mano.

 LIMPIEZA • Lávate bien las manos después de todas las actividades en el laboratorio.

 SEGURIDAD CON ELECTRICIDAD • Nunca debes usar un aparato eléctrico cerca del agua ni sobre una superficie mojada. • No debes usar cordones o cables si la envoltura está desgastada. • Nunca debes manejar un aparato eléctrico con las manos mojadas.

 ELIMINACIÓN DE BASURAS • Tira todos los materiales correctamente, de acuerdo con las instrucciones del maestro.

Contesta las siguientes preguntas con oraciones completas.

1. Juanita tiene el pelo largo. ¿Qué debe hacer antes de trabajar cerca de una llama?

   _____

2. Un tubo de cristal se ha roto. ¿Cómo debes recoger los pedazos?

   _____

3. ¿Por qué debes ponerte lentes protectores durante <u>todas</u> las actividades en el labora-

   torio? _____

4. ¿Qué otra cosa debes ponerte? _____

5. Una sustancia química está en la piel. Crees que no te hará daño, pero no estás

   seguro. ¿Qué debes hacer? _____

   _____

IDENTIFICAR LOS SÍMBOLOS DE ADVERTENCIA PARA LA SEGURIDAD

A continuación hay seis símbolos de advertencia para la seguridad. Emparéjalos con sus significados. Escribe la <u>letra</u> correcta al lado de cada descripción.

a.	b.	c.	d.	e.	f.

_____ 1. seguridad con electricidad   _____ 4. ropa protectora

_____ 2. seguridad contra incendios   _____ 5. objetos afilados/punti-
agudos

_____ 3. seguridad de calefacción   _____ 6. seguridad con objetos de cristal

AMPLÍA TUS CONOCIMIENTOS

En el marco de la derecha, diseña un símbolo para significar "NO HAGAN PAYASADAS". Puedes dibujarlo o describirlo o puedes hacer las dos cosas. Tal vez puedes inventar más de un símbolo.

¿Cómo sabemos si algo está vivo?

4

adaptación: característica de un organismo que ayuda al organismo a sobrevivir
organismos: seres vivos
respuesta: reacción a un cambio en el medio ambiente
estímulo: cambio en el medio ambiente

LECCIÓN 4 | ¿Cómo sabemos si algo está vivo?

El mundo que te rodea está compuesto de muchas cosas diferentes. Algunas cosas, tales como las plantas y los animales, tienen vida. Otras cosas, tales como los coches y las rocas, no tienen vida.

Los seres vivos (los que tienen vida) son **organismos**. Sabes que las plantas y los animales son seres vivos. ¿Cómo lo sabes? Todos los seres vivos tienen las características siguientes:

CÉLULAS Los seres vivos consisten en una o más células. Muchas veces se las llaman "los ladrillos para construir la vida".

ENERGÍA Todos los organismos usan energía. Sacas la energía de los alimentos que comes.

RESPUESTA Los seres vivos reaccionan o **responden** a los cambios en el medio ambiente. Por ejemplo, un ruido fuerte repentino te hace resaltar. Cuando sale el sol, se abren los pétalos de una flor.

ADAPTACIÓN Los organismos se **adaptan** o se conforman con su ambiente. Por ejemplo, los osos polares viven en temperaturas de bajo cero. Tú y casi todos los otros organismos no pueden hacerlo. Los osos polares están adaptados al frío penetrante. Tienen una capa de grasa gruesa y el pelo espeso.

REPRODUCCIÓN Los seres vivos producen más seres de su propia índole. Sólo los organismos pueden reproducirse. Los ratones sólo se nacen de ratones. Los olmos sólo producen otros olmos. Las rosas sólo producen otras rosas.

CRECIMIENTO Y DESARROLLO Los seres vivos cambian o se desarrollan durante sus ciclos vitales. Una forma en que cambian los organismos es por el crecimiento. Te has crecido desde el momento en que naciste. Cuando los seres vivos crecen, crecen de por dentro. Sólo los seres vivos pueden crecer por su propia cuenta.

Cualquier cosa que causa un cambio, o una actividad, en un organismo es un **estímulo**. Los estímulos vienen tanto de por dentro como de por fuera de un organismo. El cambio o la actividad que resulta del estímulo es una **respuesta**. Un estímulo es como un mensaje. Una respuesta es como una contestación al mensaje.

En cada ilustración se ven un estímulo y una respuesta. ¿Qué son el estímulo y la respuesta en cada ilustración? Escribe tus respuestas en los espacios en blanco debajo de cada figura.

Figura A

Estímulo _____

Respuesta _____

_____

Figura B

Estímulo _____

Respuesta _____

Figura C

Estos tres dibujos muestran cómo las pupilas del ojo reaccionan a la luz. La luz es un estímulo. El dibujo de arriba muestra cómo puede ser la pupila en un cuarto oscuro. El dibujo al fondo muestra cómo puede ser la pupila con mucha luz. El dibujo entre los dos muestra el ojo a luz normal.

1. Con mucha luz, ¿qué le pasa al tamaño de las pupilas?

_____

2. Con luz pálida, ¿qué sucede con el tamaño de la pupila?

_____

3. ¿Cómo crees que esta reacción por parte de la pupila le ayude a una persona?

_____

Una característica que ayuda a que un organismo viva en su medio ambiente es una adaptación. Las adaptaciones pueden tener muchas formas. He aquí algunos ejemplos.

Figura D *Un pájaro carpintero tiene el pico fuerte y puntiagudo, adaptado para extraer insectos.*

Figura E *Las aves tienen plumas y huesos livianos, bien adaptados para el vuelo.*

Figura F *La forma "aerodinámica" del pez lo permite moverse rápidamente en el agua.*

Figura G *Un cacto tiene un tallo grueso y curtido que almacena el agua. Está adaptado al ambiente árido del desierto.*

HACER CORRESPONDENCIAS

Empareja cada organismo de la Columna A con su ambiente más apropiado en la Columna B. Escribe la letra correcta en el espacio en blanco.

Columna A	Columna B
1. el oso polar	a) el bosque
2. el venado	b) el desierto
3. el pez dorado	c) la tierra
4. el cacto	d) el agua
5. la lombriz	e) el clima frío y nevado

Una adaptación muy importante de los seres humanos es el dedo pulgar. ¿Qué importante es el pulgar? Puede ser aún más importante de lo que piensas. . .

Figura H

Intenta hacer esto:

Sujeta con cinta adhesiva el pulgar y el dedo índice de la mano que más usas. Luego, trata de hacer las siguientes actividades...

1. Abotona (o desabotona) un botón.

2. Levanta un libro.

3. Da vuelta al pomo de la puerta.

4. Sostén un objeto como lo harías con un martillo.

5. Da vuelta a un destornillador.

¿Qué importante es el dedo pulgar? ¡Responde a la pregunta <u>tú</u>!

¿Crees que nuestra civilización estaría tan avanzada si las personas no tuvieran pulgares?

_____

Explica tu respuesta. _____

_____

_____

COMPLETA LA ORACIÓN

Completa cada oración con una palabra o una frase de la lista de abajo. Escribe tus respuestas en los espacios en blanco. Se pueden usar algunas palabras más de una vez.

energía   adaptados   responden
células   reproducen   organismos
estímulo

1. Los seres vivos están compuestos de una o más _____.

2. Todos los seres vivos _____ seres de su propia índole.

3. Los seres vivos son _____ .

4. Cualquier cosa que causa un cambio o una actividad en un organismo es un

   _____ .

5. Sacas _____ de los alimentos.

6. Los seres vivos _____ a los cambios en el medio ambiente.

7. Las rosas solamente _____ rosas.

8. Las _____ se llaman "los ladrillos para construir la vida".

9. Los osos polares están _____ al frío penetrante.

CIERTO O FALSO

En el espacio en blanco, escribe "Cierto" si la oración es cierta. Escribe "Falso" si la oración es falsa.

_____ 1. Los estímulos sólo vienen por fuera de un organismo.

_____ 2. En la luz pálida, las pupilas se ponen más pequeñas.

_____ 3. Sólo los seres vivos pueden crecer por su propia cuenta.

_____ 4. Una respuesta es como una contestación a un mensaje.

_____ 5. Las plantas se reproducen.

_____ 6. Todos los seres vivos están compuestos de más de una célula.

_____ 7. El tallo grueso de un cacto lo ayuda a sobrevivir en el desierto.

_____ 8. Todos los seres vivos usan energía.

_____ 9. Solamente los animales están compuestos de células.

¿Cuáles son los procesos de vida?

5

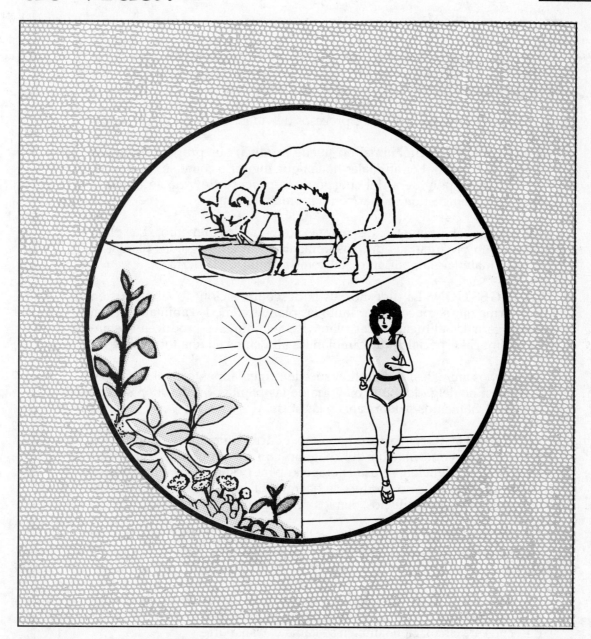

circulación: transporte de productos útiles a todas partes del cuerpo
digestión: descomposición de alimentos en formas útiles
excreción: eliminación de los desechos
ingestión: acción de comer alimentos
respiración: proceso por el cual los organismos sacan energía de los alimentos

LECCIÓN 5 | ¿Cuáles son los procesos de vida?

Los organismos tienen que llevar a cabo ciertos procesos para sostener la vida. Estos procesos se llaman procesos de vida. Los procesos de vida también son características de todos los seres vivos.

Lo que sigue es una lista de los procesos de vida:

LA INGESTIÓN Un animal no puede producir sus propios alimentos dentro del cuerpo. Los animales tienen que ingerir o comerse los alimentos y el agua por fuera del cuerpo. Este proceso de vida se llama la ingestión. La ingestión es la acción de comer alimentos.

Las plantas son diferentes. Las plantas no toman los alimentos. Las plantas pueden producir sus propios alimentos. Sin embargo, las plantas sí extraen materiales importantes, tal como el agua, de la tierra.

LA DIGESTIÓN La digestión es la descomposición de alimentos en una forma que se puede usar. Tanto las plantas como los animales tienen que digerir los alimentos. Las plantas y los animales producen sustancias químicas especiales que cambian los alimentos en una forma útil.

En muchos animales, la digestión sucede principalmente en el estómago y el intestino delgado. En la mayoría de las plantas, la digestión sucede donde los alimentos se fabrican: en las hojas.

LA RESPIRACIÓN La respiración es el arrojamiento de energía que resulta de la combinación del oxígeno con los alimentos digeridos. Durante la respiración, se usa el oxígeno para deshacer los alimentos en pedacitos. Este proceso produce la energía. El agua y el dióxido de carbono también son productos. Son los desechos de la respiración.

LA EXCRECIÓN La excreción es la eliminación de los desechos. El cuerpo produce muchos desechos. Hay que expulsar estos desechos del cuerpo.

LA CIRCULACIÓN La circulación es el transporte de los productos útiles a todas las partes de un organismo y el llevarse para fuera de los desechos. La circulación también se llama el transporte.

¿Cuál de las funciones de vida ves en cada dibujo? Escribe la función de vida debajo del dibujo.

Figura A _____

Figura B _____

Figura C _____

calor

oxígeno

alimentos

Figura D _____

MEN WOMEN

Figura E _____

estómago

partículas de alimentos

Figura F _____

Figura G _____

corazón

Figura H _____

27

Lo que necesitas (los materiales)

dos tubos de ensayo
soporte para los tubos
agua

sustancia química digestiva
clara de un huevo duro pasado por agua

Figura I

Figura J

Cómo hacer el experimento (el procedimiento)

1. Mete en un tubo de ensayo un pedazo de la clara de un huevo duro pasado por agua.

2. Añade agua al tubo de ensayo y pon una etiqueta en el tubo que dice "A".

3. Coloca el tubo de ensayo en el soporte.

4. Mete otro pedazo de la clara de huevo en un segundo tubo de ensayo.

5. Añade agua a este tubo de ensayo. Luego, echa algo de la sustancia química digestiva en este mismo tubo.

6. Pon una etiqueta en este tubo que dice "B" y coloca el tubo en el soporte.

7. Déjalos por una noche.

Lo que aprendiste (las observaciones)

1. La clara de huevo del tubo de ensayo "A" _____ cambió.
   _{sí, no}

2. La clara de huevo del tubo de ensayo "B" _____ cambió.
   _{sí, no}

3. La digestión sucede en el tubo de ensayo _____ .
   _{A, B}

4. La clara de huevo está convirtiéndose en _____ .
   _{sólido, líquido}

5. El agua por sí solo _____ digiere los alimentos.
    sí, no

6. ¿Qué está en el tubo de ensayo "B" que no está en el tubo de ensayo "A"?

    _____

Algo en que pensar (las conclusiones)

¿Cuál de los procesos de vida sucede en el tubo de ensayo "B"?_____

CIERTO O FALSO

En el espacio en blanco, escribe "Cierto" si la oración es cierta. Escribe "Falso" si la oración es falsa.

_____ 1. Algunos animales pueden vivir sin alimentos.

_____ 2. Los animales necesitan ingerir los alimentos.

_____ 3. Las plantas pueden producir sus propios alimentos.

_____ 4. Tanto las plantas como los animales tienen que digerir los alimentos.

_____ 5. Una planta ingiere el agua por las hojas.

_____ 6. La ingestión y la digestión son iguales.

_____ 7. Cuando los alimentos estén digeridos, se convierten en un líquido.

_____ 8. Después de la digestión, un bistec sigue siendo un bistec.

_____ 9. Cada ser vivo tiene un estómago.

_____ 10. En las plantas, la mayor parte de la digestión sucede en las hojas.

HACER CORRESPONDENCIAS

Empareja cada término de la Columna A con su descripción en la Columna B. Escribe la letra correcta en el espacio en blanco.

Columna A		Columna B	
_____ 1. la excreción		a)	produce energía
_____ 2. la digestión		b)	transporte de productos útiles
_____ 3. la circulación		c)	comer o absorber alimentos
_____ 4. la respiración		d)	eliminar los desechos
_____ 5. la ingestión		e)	descomposición de alimentos

En el espacio en blanco, escribe la letra de la palabra o frase que mejor completa cada oración.

_____ 1. El oxígeno se usa para deshacer en pedazos los alimentos durante la

    a. ingestión.   **b.** digestión.

    c. respiración.   **d.** circulación.

_____ 2. En muchos animales, la digestión sucede principalmente en el estómago y en

    a. el intestino delgado.   **b.** el intestino grueso.

    c. los pulmones.   **d.** los riñones.

_____ 3. La eliminación de los desechos es la

    a. ingestión.   **b.** digestión.

    c. circulación.   **d.** excreción.

_____ 4. El transporte es otra forma de referirse a la

    a. digestión.   **b.** circulación.

    c. ingestión.   **d.** excreción.

_____ 5. Dos desechos de la respiración son

    a. el agua y el oxígeno.   **b.** el oxígeno y el dióxido de carbono.

    c. el agua y el dióxido de carbono.   **d.** alimentos y agua.

AMPLÍA TUS CONOCIMIENTOS

La excreción expulsa los desechos del cuerpo. ¿Qué crees que podría suceder si los desechos acumularan en el cuerpo? _____

_____

_____

¿Qué necesitan los seres vivos para sostenerse?

6

LECCIÓN 6 | ¿Qué necesitan los seres vivos para sostenerse?

Imagínate que te han escogido para hacer un viaje a la luna. ¿Qué llevarías contigo? ¿Agua y alimentos? Sí, claro. Pero, ¿es todo?

No hay oxígeno en el espacio. Donde brilla el sol, hace muchísimo calor. Donde no hay luz solar, no se puede aguantar el frío. En la luna, tendrías que ponerte un traje espacial para protegerte contra los extremos de la temperatura. También necesitarías un abastecimiento de oxígeno.

¿Qué tienes que llevar para un viaje a la luna? En breve, tendrías que llevar tu propio medio ambiente.

Los seres vivos están en contacto constante con su medio ambiente. En la Tierra, el medio ambiente les proporciona a los organismos todo lo necesario para sostenerse. Todos los seres vivos necesitan alimentos, oxígeno, agua y temperatura adecuada. Las plantas también necesitan dióxido de carbono. ¿En qué forma es importante cada una de estas cosas?

LOS ALIMENTOS Los alimentos les proporcionan a los organismos energía para la vida. También les proporcionan a los organismos los materiales que necesitan para crecer y para repararse. Los animales obtienen los alimentos fuera del cuerpo al alimentarse de plantas u otros animales. Las plantas fabrican sus propios alimentos.

EL AIRE El aire es una mezcla de gases. El oxígeno es uno de estos gases. Los seres vivos utilizan el oxígeno para la respiración. Durante la respiración, el oxígeno deshace los alimentos. Y así produce energía.

Los organismos terrestres sacan la mayor parte de su oxígeno del aire. Los organismos que viven en el agua sacan el oxígeno que está disuelto en el agua.

El dióxido de carbono es otro gas en el aire. Las plantas necesitan dióxido de carbono para fabricar su propia alimentación.

AGUA Todos los seres vivos consisten mayormente en agua. En realidad, entre el 65 por ciento y el 95 por ciento del cuerpo de un organismo puede ser formado por agua. Los materiales que se necesitan para los procesos de vida están disueltos en este agua.

TEMPERATURA ADECUADA Los organismos viven en muchos climas distintos. Algunos viven en climas cálidos. Otros viven en climas fríos. La temperatura del medio ambiente es importante para todos los seres vivos.

Mira las ilustraciones. Luego, contesta las preguntas.

1. ¿De dónde adquieren los animales sus

   alimentos? _____

   _____

Figura A

2. ¿Se alimentan todos los animales de la

   misma clase de alimentos? _____

3. ¿Por qué necesitan alimentos los

   organismos? _____

Figura B

4. ¿Absorben los alimentos por fuera del

   cuerpo las plantas? _____

5. ¿De dónde adquieren la alimentación?

   _____

   _____

6. ¿Qué gas necesitan las plantas para fa-

   bricar su propia alimentación? _____

   _____

7. ¿Por qué parte de una planta entra el

   agua? _____

entrada del
dióxido de
carbono

entrada del
dióxido de
carbono

entrada
del agua

Figura C

Figura D

Figura E

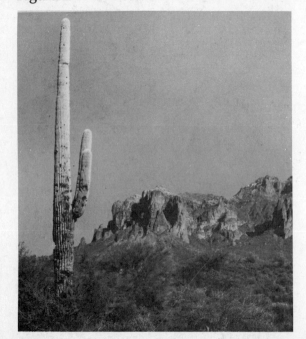

Figura F

8. El oxígeno que respiran los peces está disuelto en el _____ .

9. Los peces respiran oxígeno a través de _____ .
   <u>agallas, pulmones</u>

10. Los seres vivos necesitan oxígeno para el proceso de la _____ .

11. Durante la respiración, los peces emiten _____ como un desecho.
    <u>oxígeno, dióxido de carbono</u>

12. ¿Por qué necesitan agua todos los seres vivos? _____ _____

13. ¿Cómo ingieren el agua la mayoría de los animales? _____ .

14. ¿Por qué tienen muchas plantas del desierto raíces muy profundas en la tierra? _____ _____ _____

Algunos animales tienen sangre fría y algunos tienen sangre caliente. La temperatura del cuerpo de un animal de sangre fría cambia de acuerdo con la temperatura del ambiente que rodea al animal. Los peces son animales de sangre fría. Las ranas y los sapos también tienen sangre fría. Y las tortugas también. La temperatura del cuerpo de un animal de sangre caliente se mantiene casi igual todo el tiempo. La temperatura de un animal de sangre caliente no cambia cuando cambia la temperatura del ambiente que lo rodea. ¿Cuáles son algunos animales de sangre caliente? Las aves son de sangre caliente. Las ardillas y los gatos son otros ejemplos de animales de sangre caliente.

1. La temperatura del cuerpo de un animal de sangre fría _____ cuando la
   cambia, se queda igual

   temperatura de su ambiente cambia.

2. La temperatura del cuerpo de un animal de sangre caliente _____ cuando
   cambia, se queda igual

   la temperatura de su ambiente cambia.

3. Los peces y las ranas son animales _____ .
   de sangre caliente, de sangre fría

4. Las aves son animales _____ .
   de sangre caliente, de sangre fría

5. Las tortugas son animales _____ .
   de sangre caliente, de sangre fría

Las personas tienen sangre caliente. Pero, las personas no aguantan los extremos del frío o del calor. Así que las personas adaptan el ambiente para satisfacer sus necesidades. Por ejemplo, durante temporadas de frío, las personas calientan sus casas y se ponen ropa gruesa contra el frío. Durante temporadas de calor, las personas se ponen ropa liviana.

Figura G

6. ¿Por qué debes ponerte varias capas de ropa durante el invierno?

   _____

7. ¿Cómo controlan las personas el ambiente dentro de las casas y los edificios durante
   la temporada de calor? _____

Completa cada oración con una palabra o una frase de la lista de abajo. Escribe tus respuestas en los espacios en blanco. Se pueden usar algunas palabras más de una vez.

medio ambiente	agua	raíces
oxígeno	dióxido de carbono	fuera
reparación	alimentos	

1. Todo lo que rodea a un organismo es su _____ .

2. Las cosas que un organismo necesita para sostenerse son la temperatura adecuada, el

   _____ , los _____ y el _____ .

3. Los seres vivos consiguen lo que necesitan del _____ .

4. Para fabricar su propia alimentación, las plantas necesitan el gas de

   _____ .

5. Los seres vivos consisten principalmente en _____ .

6. Una planta ingiere el agua a través de sus _____ .

7. Los alimentos les proporcionan a los organismos todos los materiales que necesitan

   para el crecimiento y para la _____ .

8. Los peces sacan el oxígeno que está disuelto en el _____ .

9. Durante la respiración, el oxígeno se combina con _____ digeridos para

   producir energía.

10. Los animales adquieren los alimentos por _____ del cuerpo.

AMPLÍA TUS CONOCIMIENTOS

Las serpientes son animales de sangre fría. ¿Por qué crees que las serpientes se quedan en

las sombras durante las horas más cálidas de un día de verano? _____

_____

_____

¿De dónde vienen los seres vivos?

7

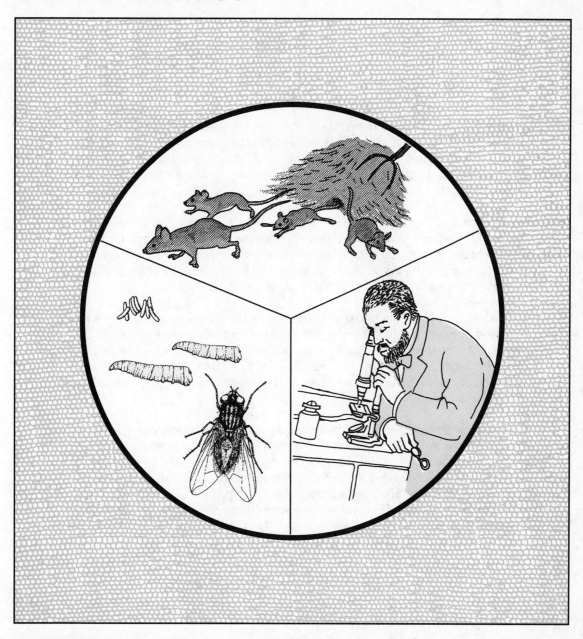

generación espontánea: la idea de que los seres vivos nacieron de seres sin vida

En una época lejana, las personas creían que los seres vivos podían nacer o provenir de materia sin vida. Por ejemplo, las personas creían que los gusanos y las moscas crecieron de la carne podrida y que los ratones provinieron de la paja. La idea de que los seres vivos nacieron de seres sin vida se llama la **generación espontánea**.

Francesco Redi fue un científico italiano que vivía durante el siglo diecisiete. Redi no pensaba que las cresas, o sea, las moscas recién nacidas, venían de la carne. Pensaba que los seres vivos solamente podían venir de otros seres vivos. Redi hizo un experimento para comprobarlo. La siguiente es una descripción del experimento de Redi:

Redi sabía que muchas veces se encuentran las cresas sobre la carne en estado de putrefacción. También sabía que el olor de la carne podrida les atraía a las moscas. Redi metió carne podrida en cada una de tres jarras. Dejó una jarra sin tapa. Tapó la segunda jarra con una red delgada. Cerró la tercera firmemente con una tapa. Puedes ver cómo Redi organizó el experimento en la página 39.

Después de unos días, Redi observó que las cresas solamente crecieron en la jarra sin tapa. ¿Por qué crecieron las cresas allí? Las cresas nacieron de los huevos que habían puesto las moscas encima de la carne. No había cresas en la carne que las moscas no podían alcanzar. Redi mostró que las cresas no venían de la carne. Ayudó a probar que sólo los seres vivos pueden producir otros seres vivos del mismo tipo, o sea, de la misma índole.

Una jarra estaba tapada herméticamente.

Una jarra estaba tapada sólo con estopilla.

Una jarra estaba destapada.

Figura A

Lo que Redi observó

1. Las moscas casi nunca se acercaron a la jarra bien tapada.

2. Las moscas volaron alrededor de la jarra tapada con estopilla, pero no podían alcanzar la carne.

3. Las moscas entraron en la jarra destapada. Allí pusieron los huevos.

4. Las cresas aparecieron <u>solamente</u> en la jarra destapada.

Lo que Redi razonó y concluyó

Intenta llegar a una conclusión como lo hizo Redi. En el espacio en blanco, escribe la letra de la palabra o las palabras que mejor completen cada oración.

_____ 1. Las moscas <u>sí podían</u> oler la carne que estaba
      a) solamente en el recipiente destapado.
      b) en el recipiente destapado y en el recipiente tapado con estopilla.
      c) en el recipiente hermético.

_____ 2. Las moscas <u>no podían</u> oler la carne que estaba
      a) en el recipiente destapado.
      b) en el recipiente destapado y en el recipiente tapado con estopilla.
      c) en el recipiente hermético.

3. Las moscas casi nunca se acercaron a la jarra hermética porque las moscas no podían
   a) ver la carne.
   b) tocar la carne.
   c) oler la carne.

4. Las moscas se acercaron a las jarras con la carne que podían
   a) ver.
   b) oler.
   c) tocar.

5. Las moscas podían entrar en la jarra que estaba
   a) destapada.
   b) tapada.
   c) tapada con estopilla.

6. Las moscas pusieron sus huevos solamente sobre la carne en la jarra que estaba
   a) destapada.
   b) tapada.
   c) tapada con estopilla.

7. Las cresas sólo aparecieron donde
   a) la carne estaba podriéndose.
   b) las moscas habían puesto los huevos.
   c) las moscas no habían puesto los huevos.

8. Las cresas venían de
   a) la carne.
   b) los huevos.
   c) la jarra.

9. Cuando las crías nacieron de los huevos, se hicieron
   a) cresas.
   b) moscas.

10. La vida sólo se produce de materia
    a) muerta.
    b) viva.
    c) sin vida.

¿Qué es una célula?

8

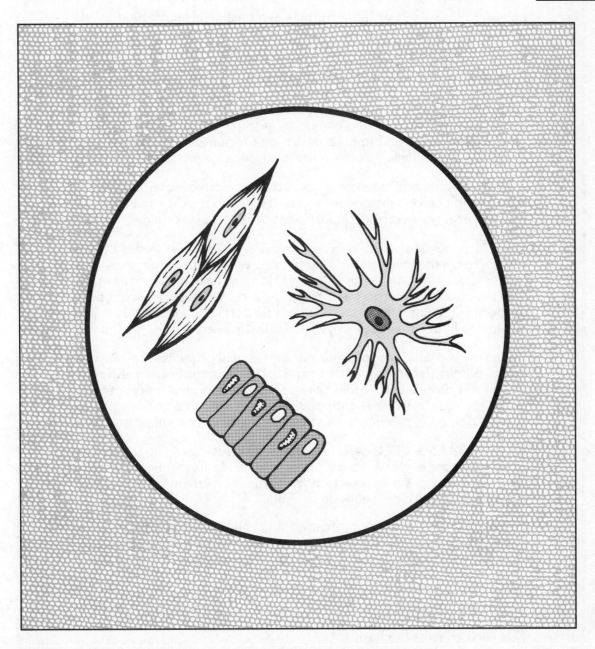

célula: unidad básica de estructura y de función en todos los seres vivos
membrana celular: "piel" delgada que encierra la célula y que le da forma a la célula
citoplasma: sustancia gelatinosa de una célula donde suceden todos los procesos de vida
núcleo: la parte de una célula que controla todas las actividades de la célula

LECCIÓN 8 | ¿Qué es una célula?

Las pirámides de la antigua Egipcia se construyeron de bloques de piedra. Se usan ladrillos para construir los edificios. Todo está formado por partes más pequeñas... ¡INCLUSO TÚ!

Todos los seres vivos están formados por partes pequeñas que se llaman **células**. La célula es la unidad básica de la estructura de todos los seres vivos. Porque todos los seres vivos están formados por células, muchas veces se refieren a las células como "los ladrillos para construir la vida". La célula también es la unidad básica de función para todos los seres vivos. Las células llevan a cabo, o realizan, todos los procesos de vida.

Algunos organismos, tales como las bacterias, están compuestos de una sola célula. Los organismos más grandes tienen muchas más células. Una persona, por ejemplo, está formada por billones de células.

Las células pueden ser de muchos tamaños. La mayoría de las células son microscópicas. Sin embargo, se pueden ver fácilmente algunas células. Por ejemplo, el huevo de gallina es una sola célula. Las células también tienen muchas formas. Por ejemplo, la célula de un músculo tiene una forma diferente a la de una célula de un nervio. Las células de la piel tienen una forma diferente a la de las células de la grasa.

De por sí, la célula está formada por partes más pequeñas. La mayoría de las células tienen tres partes principales: la **membrana celular,** el **núcleo** y el **citoplasma.** Y todas estas partes están formadas por una sustancia viva que se llama el protoplasma. El protoplasma consiste principalmente en agua; también tiene sales disueltas y otros compuestos.

LA MEMBRANA CELULAR La membrana celular es como la piel delgada que cubre la célula. Protege la célula y le da forma. La membrana celular tiene poros o huecos muy pequeños. Los materiales entran y salen por los huecos pequeños de la célula.

EL NÚCLEO El núcleo está dentro de la célula. Controla todo lo que sucede en la célula. El núcleo es como el "jefe" de la célula. Generalmente, el núcleo se ubica cerca del centro de la célula.

EL CITOPLASMA El citoplasma es una sustancia gelatinosa entre el núcleo y la membrana celular. Llena la mayor parte del interior de la célula. El citoplasma le da forma a la célula. La mayoría de las funciones vida suceden en el citoplasma.

En la Figura A se ven ocho partes de una célula. Se encuentran estas partes en la mayoría de las células. El nombre de cada parte de la célula está en la siguiente lista.

- **membrana celular**
- **citoplasma**
- **núcleo**
- **membrana nuclear**

- **mitocondrios**
- **ribosomas**
- **retículo endoplasmático**
- **vacuolas**

A continuación del diagrama, se describe cada parte de la célula. Mientras lees cada descripción, ubica la parte celular en el diagrama.

Figura A *Una célula típica de animal.*

MEMBRANA CELULAR   Una piel delgada que encierra la célula. La membrana celular

a) protege la célula,
b) ayuda a darle forma a la célula
c) permite que entren y salgan materiales y
d) ayuda a mantener unida toda la materia celular.

CITOPLASMA   Un fluido gelatinoso que llena la mayor parte del interior de la célula. El citoplasma ayuda a darle forma a la célula. La mayoría de las funciones de vida suceden dentro del citoplasma.

NÚCLEO   Una estructura que se encuentra cerca del centro de la célula. El núcleo es el "jefe" de la célula. Controla todas las actividades de la célula. El núcleo es aún más importante durante la reproducción.

MEMBRANA NUCLEAR   Una piel delgada que encierra el núcleo. La membrana nuclear controla la entrada y la salida al núcleo de los materiales. También le da forma al núcleo.

MITOCONDRIO

Los mitocondrios tienen forma de bastoncillo. Son las "centrales de energía" de la célula. <u>Almacenan</u> y <u>arrojan</u> energía que la célula necesita para las funciones de vida.

RETÍCULO ENDOPLASMÁTICO

Una red de canales, como unas "carreteras". Se usan para transportar materiales dentro de la célula.

RIBOSOMAS

Estructuras diminutas como granos. Fabrican y almacenan la proteína. La mayoría se encuentran en el retículo endoplasmático. Algunos se mueven libremente dentro del citoplasma.

VACUOLAS

Espacios llenos de líquido. Almacenan los alimentos y desechos. Algunas también almacenan agua adicional. Expulsan el agua excesiva fuera de la célula.

Contesta las siguientes preguntas acerca de las células.

1. Todas las partes de la célula están formadas por una sustancia "viva". ¿Cómo se llama esta sustancia viva? _____

2. ¿Dónde se realizan la mayoría de las funciones de vida en una célula? _____

3. ¿Trabaja sola cada parte de la célula? Explica tu respuesta. _____

_____

4. ¿Cuáles son dos funciones de la membrana celular? _____

_____

5. ¿En qué se parecen las vacuolas a compartimientos para almacenar? _____

_____

IDENTIFICA LAS PARTES CON ETIQUETA

En la Figura B se ve una célula animal. En los espacios en blanco, escribe los nombres de las partes de la célula.

1. _____

2. _____

3. _____

4. _____

5. _____

6. _____

Figura B

Las células de las plantas y las de los animales no son exactamente iguales. Las células de las plantas tienen ciertas partes que no tienen las de los animales. Estas partes son una pared de la célula y los cloroplastos.

LA PARED DE LA CÉLULA La pared de la célula encierra la membrana celular de una célula vegetal (de plantas). La pared de la célula consiste en un material sin vida que se llama la celulosa. La pared de la célula es más tiesa que la membrana celular. Le da a la planta su rigidez. También le da su forma.

LOS CLOROPLASTOS Se encuentran los cloroplastos en el citoplasma de una célula vegetal. Los cloroplastos contienen una sustancia verde que se llama la clorofila. Las plantas verdes necesitan clorofila para fabricar su alimentación. El proceso de las plantas para fabricar la alimentación se llama la fotosíntesis. La mayor cantidad de la clorofila se encuentra en las células de las hojas de plantas verdes.

Las plantas pueden fabricar sus alimentos, pero los animales no. Las células de animales no contienen clorofila.

También son diferentes el número y el tamaño de las vacuolas en las células de plantas y en las de animales. Las células vegetales sólo tienen una o dos vacuolas. Generalmente, estas vacuolas son muy grandes. Las células de animales contienen muchas vacuolas diminutas.

En la Figura C, se ve una célula vegetal. Las partes de la célula vegetal del diagrama incluyen

- membrana celular
- núcleo
- cloroplasto
- citoplasma
- pared de la célula
- vacuola

Busca cada parte de la célula vegetal de la Figura C.

Figura C

Contesta las siguientes preguntas sobre las células de plantas y las de animales.

1. ¿Qué dos partes tienen las células de plantas que no tienen las de animales? _____

   _____ y _____

2. ¿En qué consiste la pared de la célula? _____
   protoplasma, celulosa

3. ¿Es una sustancia viva la celulosa? _____
   sí, no

4. ¿En qué consiste la membrana celular? _____
   protoplasma, celulosa

5. ¿Es una sustancia viva el protoplasma? _____
   sí, no

6. ¿Dónde se encuentran los cloroplastos? _____
   en el núcleo, en el citoplasma

7. ¿Qué sustancia se encuentra dentro de los cloroplastos? _____
   protoplasma, clorofila

8. ¿Para qué se usa la sustancia dentro de los cloroplastos? _____
   para fabricar alimentos, para la excreción

COMPLETA LA TABLA

Contesta las preguntas al escribir "SÍ" o "NO" en las casillas.

	Célula animal	Célula vegetal
1. ¿Tiene un núcleo?		
2. ¿Tiene ribosomas?		
3. ¿Tiene mitocondrios?		
4. ¿Tiene una membrana celular?		
5. ¿Tiene una pared de la célula?		
6. ¿Tiene citoplasma?		
7. ¿Tiene cloroplastos?		
8. ¿Tiene un retículo endoplasmático?		
9. ¿Tiene clorofila?		
10. ¿Tiene muchas vacuolas diminutas?		

Para que una célula pueda realizar su función, las sustancias tienen que poder entrar en la célula y salir de ella. Esto sucede a través de la membrana celular. La membrana celular tiene huecos muy pequeños. Algunas sustancias pasan por estos huecos por un proceso que se llama difusión. Sin embargo, la membrana celular sólo permite que ciertas sustancias y ciertas cantidades de sustancias entren en la célula y salgan de ella. Por ejemplo, los nutrimentos disueltos y el oxígeno sólo pueden entrar en la célula. Los desechos disueltos, tal como el dióxido de carbono, sólo pueden salir de la célula.

Figura D

El movimiento de agua por una membrana se llama la osmosis. La osmosis es una clase especial de difusión. ¿Qué pasa si no se controla la cantidad de agua que entra en la célula y que sale de la célula? Pues, depende... La célula puede

a) hincharse o

b) encogerse.

Piensa en cada una de las siguientes posibilidades. Escribe tus respuestas en los espacios en blanco.

¿Qué podría pasar si...

1. entrara demasiada agua en una célula? _____

2. saliera demasiada agua de una célula? _____

3. entrara muy poca agua en una célula? _____

4. saliera muy poca agua de una célula? _____

5. el agua siguiera entrando en una célula y nada de agua saliera de la célula?

_____

Contesta las siguientes preguntas.

6. ¿Qué materiales necesarios entran en la célula por la membrana celular? _____

_____

7. ¿Qué desechos salen de la célula por la membrana celular? _____

_____

COMPLETA LA ORACIÓN

Completa cada oración con una palabra o una frase de la lista de abajo. Escribe tus respuestas en los espacios en blanco.

proteínas	retículo endoplasmático	pared de la célula
tamaño	procesos de vida	membrana celular
clorofila	núcleo	energía
células	cloroplastos	forma

1. Los "ladrillos para construir" a todos los seres vivos son las _____ .

2. Una célula vegetal tiene dos partes que no tiene una célula animal. Éstas son los

   _____ y la _____ .

3. El _____ es la central para controlar las actividades de la célula.

4. Los cloroplastos contienen una sustancia verde que se llama la _____ .

5. Los ribosomas fabrican y almacenan las _____ .

6. Una red de canales llamada el _____ se usa para mover los materiales dentro de una célula.

7. Una célula realiza todos los _____ .

8. La entrada en la célula y la salida de ella de sustancias sucede a través de la

   _____ .

9. Las células varían en su _____ y su _____ .

10. Los mitocondrios almacenan y arrojan la _____ que una célula necesita para realizar los procesos de vida.

AMPLÍA TUS CONOCIMIENTOS

En una hoja suelta de papel, haz un dibujo de una célula animal. Trata de hacerlo de memoria. Asegúrate de incluir y de marcar cada una de las siguientes partes.

- membrana celular
- citoplasma
- núcleo
- membrana nuclear
- mitocondrio
- ribosomas
- retículo endoplasmático

¿Cómo nos puede ayudar un microscopio a estudiar los seres vivos?

9

microscopio: aparato que agranda o amplifica las cosas más de lo que son en realidad

LECCIÓN 9 | ¿Cómo nos puede ayudar un microscopio a estudiar los seres vivos?

Todos los seres vivos están formados por células. Algunos organismos, tales como las bacterias, se forman por una sola célula. Son demasiado pequeños para ver solamente a simple vista. Estos organismos son los microorganismos.

¿Cómo podemos observar y estudiar estos organismos tan diminutos o las células individuales de un organismo multicelular? Podemos usar un **microscopio**. Un microscopio es un aparato que agranda o amplifica los objetos más de lo que son. ¿Has usado alguna vez una lupa? Una lupa es un microscopio simple. Un microscopio simple sólo tiene una lente.

Es fácil usar una lupa. Es pequeña y no pesa mucho. Pero una lupa no aumenta los objetos mucho. No podemos ver un organismo de una sola célula con una lupa.

Un microscopio compuesto es mucho más poderoso que un microscopio simple. Un microscopio compuesto tiene dos juegos de lentes. La mayoría de los microscopios que se usan en las escuelas son microscopios compuestos.

La mayoría de los microscopios compuestos pueden hacer que los objetos se vean de entre 100 a 400 veces más grandes de lo que son. Algunos microscopios pueden aumentar los objetos tanto como 1000 veces. Cuando hablamos de los microscopios, generalmente nos referimos a los microscopios compuestos.

Otro tipo de microscopio es el microscopio electrónico. Los microscopios electrónicos pueden aumentar los objetos hasta 300,000 veces. Estos microscopios se encuentran en laboratorios científicos.

Hay muchos usos para los microscopios, especialmente en la biología. Los médicos frecuentemente usan los microscopios. ¿Has visto alguna vez un microscopio en el consultorio de tu médico?

En la Figura A se ve un microscopio compuesto. Las partes del microscopio están identificadas con etiquetas. Lee la descripción de cada parte del microscopio al pie de la página. Luego, busca la parte en la Figura A.

ocular

tornillo de
avance rápido

tornillo de avance
lento

bastidor

prendedores

base

tubo

revólver

objetivo de
alta potencia

objetivo de
baja potencia

contraste
interferencial

platina

espejo

Figura A

El ocular   Ubicado en la parte de arriba del microscopio. Contiene la lente más cercana al ojo.

El objetivo de alta potencia   La más larga de las dos lentes cercanas al portaobjetos.

El objetivo de baja potencia   La más corta de las lentes cercanas al portaobjetos.

El tubo   Mantiene la distancia necesaria entre el ocular y el objetivo.

El tornillo de avance rápido   Hace que el tubo se mueva de arriba a abajo.

El tornillo de avance lento   Hace que el tubo se mueva de arriba a abajo, pero sólo un poco.

La base   Sostiene el microscopio.

El bastidor   Apoya el tubo.

El revólver   Contiene los objetivos (las dos lentes).

El espejo   Refleja la luz hacia el interior del tubo.

El contraste interferencial   Disco circular que regula la luz en la platina.

La platina   Plataforma en que se coloca el portaobjetos; permite que pase la luz.

Los prendedores   Mantienen fijo el portaobjetos sobre la platina.

1. ¿Qué hace el contraste interferencial?

_____

2. ¿Qué parte del microscopio compuesto

    apoya el tubo? _____

3. ¿Cuál de los objetivos es el más largo?

_____

Un microscopio hace que las cosas se vean más grandes. Lo hace porque la luz que viene del objeto pasa por las lentes. Una lente es un vidrio que se ha formado cuidadosamente para reflejar o desviar la luz. La luz que pasa de un objeto por la lente del microscopio se refleja para agrandar al objeto más de lo que es.

En la Figura B se ven las tres lentes de un microscopio compuesto. La lente de arriba es el ocular. Es la lente más cercana al ojo. Las otras dos lentes son los objetivos. Los objetivos son las lentes más cercanas al objeto que se quiere observar.

El objeto que se ha de observar se coloca sobre un portaobjetos. Este portaobjetos se coloca sobre la platina debajo de los objetivos.

Distintas lentes tienen aumentos o potencias diferentes. La potencia de aumento se indica con un número precedido por una ×. Una lente o un objetivo que aumenta algo 10 veces está marcado con ×10.

En este diagrama, el ocular está marcado con ×10 y el objetivo con ×10. Así se obtiene un aumento total de ×100. Para hallar el aumento total de un microscopio, multiplica los dos aumentos.

Figura B

Completa la tabla de abajo al calcular el aumento total de cada juego de lentes. Por ejemplo, el primer juego de lentes tiene un aumento total de ×100 (10 × 10 = 100).

Ocular	Objetivo	Aumento
×10	×10	×100
×10	×40	
×10	×44	
×5	×10	
×5	×40	
×20	×10	
×20	×40	

Observa cada dibujo. Luego, contesta las preguntas a la derecha.

Figura C

Ésta es una foto de una mosca. Ha sido aumentada aproximadamente dos veces.

1. ¿Puedes ver muchos detalles de la

    mosca? _____
    sí, no

Figura D

Aquí se ve una parte de la mosca aumentada como 100 veces con el microscopio.

2. Ahora ves _____ de la
    más, menos

    mosca, pero sí ves _____ detalles.
    más, menos

3. ¿Qué parte de la mosca crees que se

    muestra en esta figura? _____

    _____

    _____

Figura E

Ésta es la misma parte de la mosca. Ahora está aumentada 400 veces.

4. En comparación con el aumento de

    100 (×100), ahora puedes ver

    _____ de la mosca. Sin embargo,
    más, menos

    ves _____ detalles.
    más, menos

CONCLUSIONES

1. Por más potente que sea el aumento del microscopio, ves _____ del objeto.
    más, menos

2. Por más potente que sea el aumento del microscopio, ves _____ detalles.
    más, menos

Un objeto que se ve con un microscopio está colocado sobre una plaquita de vidrio que se llama un portaobjetos. Se coloca el portaobjetos sobre la platina del microscopio y debajo de los objetivos.

Hay dos clases de portaobjetos: los provisionales y los permanentes.

• Un portaobjetos provisional no se puede guardar. Se usa una vez y luego se lo limpia. Los portaobjetos provisionales son útiles para estudiar los organismos diminutos mientras estén vivos.

• Un portaobjetos permanente se puede guardar y usar una y otra vez. Sólo se pueden estudiar las cosas muertas o los seres sin vida con un portaobjetos permanente.

La mayoría de los portaobjetos son de vidrio y miden aproximadamente 7.5 cm × 2.5 cm (3″ × 1″). Muchas veces se usa un cubreobjeto sobre el portaobjetos. Un cubreobjeto es una lámina delgada de vidrio o de plástico que se coloca encima del portaobjetos de vidrio.

Figura F *Un portaobjetos (1) y un cubreobjeto (2).*

1. ¿Qué clase de portaobjetos usarías para estudiar los organismos que viven en una charca mientras estén vivos? _____

2. ¿Por qué? _____

   _____

3. ¿Dónde se coloca el portaobjetos en el microscopio? _____

4. ¿Cuáles son las ventajas de los portaobjetos provisionales? _____

   _____

5. ¿Cuáles son las ventajas de los portaobjetos permanentes? _____

   _____

Mira el agua de una charca con el microscopio de acuerdo con las siguientes instrucciones.

1. Limpia bien el portaobjetos.

2. Usa un cuentagotas limpio para echar una gota del agua de la charca en el centro del portaobjetos.

Figura G *"Agua de la charca"*

3. Usa pinzas para colocar un cubreobjeto con mucho cuidado sobre el agua de la charca.

4. Mira tu portaobjetos con el microscopio de acuerdo con los siguientes pasos.

   a) Haz girar el revólver hasta que el objetivo de baja potencia esté en línea directa con el tubo. Vas a oír un golpecito ligero cuando el objetivo esté directamente sobre la abertura de la platina.

   b) Haz girar el tornillo de avance rápido para averiguar cuál de las direcciones hace subir el objetivo y cuál de las direcciones lo hace bajar.

Figura H

   c) Usa el tornillo de avance rápido para alzar el objetivo de baja potencia hasta que esté a 2 cm sobre la platina.

   d) Mira por el ocular. Hay que tener los dos ojos abiertos.

   e) Haz los ajustes al espejo.

   f) Mueve el contraste interferencial para ajustar la cantidad de luz.

g) Usa el tornillo de avance lento para obtener un enfoque claro.

h) Para ver el objeto con alta potencia, haz girar el revólver hasta que el objetivo de alta potencia esté en línea directa con un golpecito ligero.

i) Mira por el ocular y usa el tornillo de avance lento para lograr el enfoque de alta potencia.

5. En el marco, haz un dibujo de lo que ves con el microscopio.

Algunos portaobjetos provisionales no necesitan un cubreobjeto.

Para examinar la sal o un pelo con el microscopio, sigue estas instrucciones.

1. Moja la superficie del portaobjetos sólo un poquito con el dedo.

Figura I

2. *La sal:* Echa unos granos de sal en el vidrio.

   El pelo: Simplemente coloca un pelo encima del portaobjetos.

3. Ahora, mira los dos portaobjetos con el microscopio.

4. En los círculos de abajo, haz dibujos de lo que ves con el microscopio.

Figura J *"Sal"*

Sal

Pelo

Algunas cosas son transparentes. Puedes ver a través de ellas. El vidrio es transparente, igual que el agua y el aire. Un objeto transparente deja pasar la luz. Algunas células y estructuras de células son transparentes. Por eso es muy difícil mirarlas con un microscopio. ¿Cómo pueden mirar estas células los científicos? Pues, usan un colorante.

Un colorante es un tinte. Agrega color al objeto en el portaobjetos. Así se hace más fácil mirarlo.

Hay muchos tipos diferentes de colorantes. No todas las células y estructuras de células absorben, o retienen, el mismo tipo de colorante. Además, las distintas partes de una célula pueden retener diferentes cantidades del colorante. Como resultado, algunas estructuras se ponen más oscuras (o más claras) que las otras. El tipo de colorante que se usa depende de lo que se examina.

Fíjate en la Figura K. Muestra los glóbulos (las células) de sangre tal como se ven con un microscopio.

Los científicos usan un colorante para hacer que se vean mejor los glóbulos blancos. No todas las partes del glóbulo blanco absorben la misma cantidad del colorante.

Figura K

1. ¿Qué parte del glóbulo de sangre absorbió la mayor cantidad del colorante? _____

2. ¿Cómo lo sabes? _____

   _____

3. ¿Por qué se usan los colorantes? _____

4. Nombra un objeto transparente. _____

   _____

5. ¿Qué clase de célula se ve en la Figura K? _____

   _____

   _____

Mira una hoja de una cebolla con el microscopio de acuerdo con las siguientes instrucciones.

1. Separa una hoja de cebolla de una cebolla recortada en cuartos. Fíjate en la tela muy delgada que la cubre.

2. Usa las pinzas para quitar la tela delgada.

Figura L

3. Coloca un pedazo de la tela encima del portaobjetos.

Figura M

4. Echa una gota de yodo en el portaobjetos. El yodo es un tipo de colorante. El colorante le da color a la tela de la cebolla. Hace resaltar con más claridad las partes de la tela de la cebolla.

Figura N *"Yodo"*

5. Coloca un cubreobjeto encima del portaobjetos.

6. Mira el portaobjetos con el microscopio.

Figura O

7. Haz un dibujo de lo que ves.

8. Prepara otro portaobjetos de la tela de cebolla de acuerdo con los pasos del 1 al 3.

9. En vez de usar yodo, echa una gota de agua en el portaobjetos.

10. Coloca un cubreobjeto encima del portaobjetos.

11. Mira el portaobjetos con el microscopio.

12. Haz un dibujo de lo que ves.

1. Obten del maestro o de la maestra un portaobjetos permanente de la sangre humana.

2. Coloca el portaobjetos preparado de la sangre humana sobre la platina de un microscopio compuesto.

3. Usa el objetivo de baja potencia para enfocar el portaobjetos. Mira la sangre con la baja potencia de tu microscopio. Luego, cambia a la alta potencia.

4. Se ha tratado con colorante la sangre en el portaobjetos preparado. Los glóbulos rojos se verán del color rosado. Los núcleos de los glóbulos blancos se verán del color morado azulado.

5. Busca un glóbulo rojo. Haz un dibujo de esta célula en el espacio marcado "Glóbulo rojo".

6. Todavía con la alta potencia del microscopio, busca un glóbulo blanco. Haz un dibujo de éste en el espacio marcado "Glóbulo blanco".

Glóbulo rojo   **Glóbulo blanco**

TERMINA LAS ORACIONES

Escoge la palabra o el término apropiado para cada oración. Escribe tu selección en el espacio en blanco.

1. Un glóbulo rojo _____ tiene núcleo.
   sí, no

2. Un glóbulo blanco _____ tiene núcleo.
   sí, no

3. _____ volver a usar un portaobjetos permanente.
   Se puede, No se puede

4. _____ volver a usar un portaobjetos provisional.
   Se puede, No se puede

5. _____ colorante en el portaobjetos anterior.
   Había, No había

Un microscopio es un instrumento delicado. Hay que tratarlo con cuidado. Siempre debes sostener el microscopio con las dos manos: una para agarrar el bastidor y otra para apoyar la base. Se limpian las lentes del microscopio solamente con papel especial para las lentes. Los pañuelos de papel las pueden rayar.

Lee acerca de cada dibujo. Luego, contesta las preguntas que le correspondan.

El estudiante a la izquierda no sostiene el microscopio en la manera correcta.

1. ¿Puedes describir cómo se debe sostener correctamente un microscopio? _____

_____

_____

Figura P

El chico se pregunta cuál de los pañuelos debe usar para limpiar las lentes del microscopio.

2. ¿Cuál de los pañuelos usarías tú? _____

_____

3. ¿Por qué? _____

_____

_____

Figura Q

La chica está moviendo las lentes hacia abajo para mejor enfocar el portaobjetos.

4. ¿Qué pasó con el portaobjetos? _____

_____

5. ¿Es ésta la manera correcta para enfocar?

_____

Figura R

6. ¿Qué está pasando con el microscopio del chico? _____

7. ¿Qué debes hacer para evitar que suceda esto? _____

_____

_____

Figura S

CIERTO O FALSO

En el espacio en blanco, escribe "Cierto" si la oración es cierta. Escribe "Falso" si la oración es falsa.

_____ 1. Un microscopio puede tener una lente.

_____ 2. Un objeto transparente no permite pasar la luz.

_____ 3. Un microscopio compuesto aumenta más los objetos que un microscopio simple.

_____ 4. La luz entra primero por el ocular.

_____ 5. La platina de un microscopio debe tener una abertura.

_____ 6. Cuando sostienes un microscopio, lo debes agarrar por el tubo.

_____ 7. No se puede guardar un portaobjetos provisional.

_____ 8. Sólo debes usar papel para lentes para limpiar las lentes del microscopio.

HACER CORRESPONDENCIAS

Empareja cada término de la Columna A con su descripción en la Columna B. Escribe la letra correcta en el espacio en blanco.

Columna A	Columna B
_____ 1. un microscopio simple	a) apoya todo el microscopio
_____ 2. la base	b) sólo tiene una lente
_____ 3. un microscopio compuesto	c) permite que pase la luz
_____ 4. el ocular	d) tiene más de una lente
_____ 5. transparente	e) la lente más cercana al ojo

63

Escribe el nombre de la parte del microscopio encima de la línea que le corresponda. Hay una lista de las partes a continuación.

bastidor	contraste interferencial	objetivo de baja potencia
base	ocular	espejo
prendedores	tornillo de avance lento	revólver
tornillo de avance rápido	objetivo de alta potencia	platina
tubo		

Figura T

¿Qué es la reproducción?

reproducción asexual: clase de reproducción que requiere un solo padre, en que el organismo padre (la célula madre) se divide en dos

reproducción: proceso de vida en que los organismos engendran nuevos organismos

reproducción sexual: clase de reproducción que requiere dos padres, en que las células de los dos padres se unen para formar un nuevo organismo

Por todas partes ves los seres vivos. Algunos son grandes, tales como los elefantes, las ballenas y los árboles gigantescos. Algunos, tales como las hormigas, las pulgas y las briznas de hierba, son más pequeños. Las bacterias son aún más pequeñas, MUCHO más pequeñas.

Sea planta o animal, todos los seres vivos se reproducen para crear otros de su especie. Recuerda que el proceso de vida por el que los organismos engendran nuevos organismos se llama la **reproducción**. El embarazo es la reproducción. También lo es la producción de una nueva brizna de hierba de una semilla pequeña. Los nuevos organismos que los seres vivos engendran se llaman descendencia o progenie. Tú eres descendiente de tus padres. Una camada de gatitos es la progenie de un gato.

La mayoría de los organismos crean vida nueva por medio del proceso de la **reproducción sexual**. Para la reproducción sexual se necesitan dos padres: uno masculino y otro femenino.

En la reproducción sexual, las células de dos padres se unen para formar un nuevo organismo. Organismos masculinos producen células sexuales masculinas. Organismos femeninos producen células sexuales femeninas. En la reproducción sexual, un nuevo organismo crece de las células unidas. El nuevo organismo no se parece exactamente a ninguno de sus padres. En cambio, la progenie tiene unas características de cada uno.

Muchas plantas también se reproducen por la reproducción sexual. Quizá te sorprenda saber que hay plantas masculinas y plantas femeninas. Durante la reproducción, las células sexuales masculinas se unen con las células sexuales femeninas para formar semillas. Una nueva planta puede nacer de cada semilla.

Algunos organismos se reproducen sin las células sexuales. Esta clase de reproducción se llama la **reproducción asexual**. Para la reproducción asexual, sólo se necesita una madre. En la reproducción asexual, cada descendiente es una copia idéntica a la madre.

Las bacterias se reproducen por medio de la reproducción asexual. Una bacteria crece a su tamaño completo. Luego, se divide en dos. Así, se crean dos bacterias nuevas.

Algunas plantas también se reproducen asexualmente. Por ejemplo, las plantas de fresas tienen estolones. Los estolones echan raíces en la tierra. Entonces, una nueva planta nace del estolón.

Lee acerca de cada diagrama. Luego, contesta las preguntas al lado del diagrama.

En la Figura A se ve una bacteria reproduciéndose.

1. ¿Cómo se reproducen las bacterias?

    _____

2. ¿Qué les va a pasar a las nuevas

    bacterias? _____

    _____

Figura A

En la mayoría de los animales, se necesitan
las células sexuales masculinas y femeninas
para la reproducción. Solamente los animales desarrollados producen las células
sexuales. Los animales desarrollados masculinos producen espermatozoides. Los animales desarrollados femeninos producen
óvulos. La reproducción sucede cuando una
célula del espermatozoide se une con una
célula del óvulo.

3. ¿Puede suceder la reproducción sexual

    si el macho (hombre) o la hembra

    (mujer) no se desarrolla? _____

Figura B

Se muestra en la Figura C una planta de
fresas que echa estolones.

4. ¿Cuántos estolones hay?

    _____

5. ¿Cuántas plantas hay?

    _____

6. ¿Cuál de las plantas es la más vieja?

    _____

Figura C

Figura D

En la Figura D se ve el interior del bulbo de una azucena. Si se entierra el bulbo completamente por debajo de la tierra, produce una nueva planta. Se pueden reconocer algunos bulbos por sus capas.

7. Nombra un bulbo corriente que

   probablemente puedes encontrar

   en tu cocina. _____

Figura E

Las células reproductoras masculinas se llaman <u>polen</u>. Las plantas se reproducen sexualmente cuando el polen se junta con las células reproductoras femeninas, o sea, los óvulos. Algunas flores tienen sólo las células masculinas o sólo las femeninas. La unión de la célula del polen y la célula del óvulo produce semillas.

8. ¿Qué va a pasar si se siembran las

   semillas en la tierra? _____

   _____

polen

el polen bajándose para unirse con los óvulos

polen y óvulo unidos (una semilla)

un solo polen se une con un óvulo

óvulos

Figura F

Algunas plantas producen células de polen y células de óvulo.

9. ¿Por qué sería más fácil este tipo de

   reproducción que tener solamente

   células masculinas o células femeni-

   nas?_____

   _____

COMPLETA LA ORACIÓN

Completa cada oración con una palabra o una frase de la lista de abajo. Escribe tus respuestas en los espacios en blanco.

dividirse en dos   padre   reproducción
organismo   propia especie

1. En la reproducción sexual, las células sexuales masculinas y femeninas se unen para

   formar un nuevo _____ .

2. Todos los seres vivos engendran seres de su _____ .

3. El proceso de producir una nueva vida se llama la _____ .

4. Para la reproducción asexual, se necesita un solo _____ .

5. Las bacterias se reproducen al _____ .

CIERTO O FALSO

En los espacios en blanco, escribe "Cierto" si la oración es cierta. Escribe "Falso" si la oración es falsa.

_____ 1. Sin la reproducción, la vida no podría continuar.

_____ 2. Sólo los organismos desarrollados pueden reproducirse.

_____ 3. De un chango puede nacer un gato.

_____ 4. Para la reproducción sexual, se necesitan dos padres.

_____ 5. En la reproducción asexual, cada progenie es una copia exacta de la
madre.

PALABRAS REVUELTAS

A continuación hay varias palabras revueltas que has usado en esta lección. Pon las letras en orden y escribe tus respuestas en los espacios en blanco.

1. LLISAME _____

2. ONIEPREG _____

3. EPDAR _____

4. BREATACIS _____

5. CORUDNICÓPRE _____

CIENCIA *EXTRA*

La hidropónica

¿Puedes imaginarte cultivando plantas en el Ártico cubierto de nieve? O, ¿qué tal en un barco en el océano? Pues, puede que no sea imposible si se emplea la hidropónica.

¿Qué es la hidropónica? La hidropónica es la ciencia de cultivar plantas sin tierra. Por lo general, las plantas necesitan la tierra para sostenerse y para los nutrimentos. Sin embargo, las plantas pueden vivir sin la tierra si hay otras fuentes que las sostengan y alimienten. Además, las plantas tienen que recibir cantidades controladas de dióxido de carbono, oxígeno, agua, calor y luz para que lleven a cabo los procesos de vida.

Hay dos métodos para cultivar las plantas sin tierra. Para un método se usa el agua. Las plantas están suspendidas y sus raíces están sumergidas en el agua. Los mismos nutrimentos que se encuentran en el suelo fértil están disueltos en el agua. Las plantas sacan los nutrimentos del agua. Una desventaja de este método es que hay que sostener las plantas desde arriba.

Un segundo método de la hidropónica utiliza otros materiales que el agua, tales como la arena o la grava. Las raíces de la planta la fijan en la arena o la grava. Una solución nutritiva se esparce sobre las plantas desde arriba o está impulsada por el cuadro de las plantas. Se prefiere impulsar los nutrimentos por el cuadro porque las raíces de las plantas crecen hacia abajo y los nutrimentos llegan a la planta más rápidamente.

Aunque se han cultivado las plantas sin tierra desde los tiempos antiguos, la hidropónica se ha empleado comercialmente por menos de 50 años. Algunas de las ventajas de la hidropónica incluyen la falta de competencia por parte de las malezas, libertad de las enfermedades transmitidas por el suelo y costos de labor disminuidos. Una desventaja es el alto costo del equipo que se necesita para la hidropónica.

¿Qué es la mitosis?

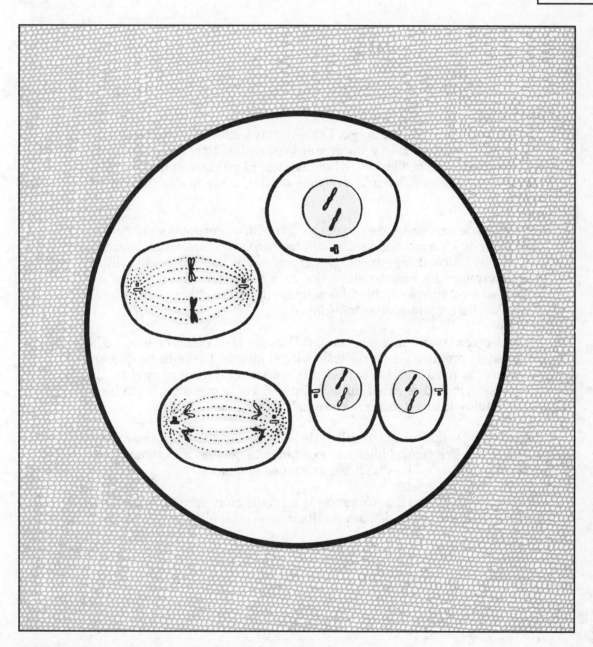

división celular: proceso en que las células se reproducen
mitosis: tipo de división de las células en que el núcleo se divide

LECCIÓN 11 | ¿Qué es la mitosis?

Las células pueden reproducirse. Los seres vivos crecen porque sus células pueden reproducirse y hacer nuevas células. Para producir estas nuevas células, las células se dividen en dos. El proceso en que las células se reproducen se llama la **división celular**, o sea la división de las células.

Cada uno de las células de tu <u>cuerpo</u> (las células corporales) tiene dos conjuntos de 23 cromosomas. Las células corporales son todas las células, <u>menos</u> las células sexuales. Los cromosomas son partes de células que determinan las características (los caracteres) que va a tener un ser vivo. Cada vez que se dividen las células corporales, cada célula nueva recibe los dos conjuntos de cromosomas.

El núcleo controla la división celular. Durante la división celular, cada cromosoma produce una copia exacta de sí mismo. Después de que los cromosomas producen las copias duplicadas, el núcleo se divide. La división del núcleo se llama **mitosis.** Puedes ver la mitosis y la división de las células de una típica célula animal en la siguiente página.

Las dos células nuevas que resultan de la división celular se llaman <u>células hijas</u>. Las dos células hijas son exactamente iguales: los cromosomas exactamente iguales, los caracteres exactamente iguales.

La división celular es una forma de la reproducción asexual. Solamente una célula madre se divide para producir las células hijas.

Vamos a examinar la mitosis de una típica célula animal. Esta célula tiene cuatro cromoso- mas. Sigue el proceso, paso a paso.

Figura A

- La célula se prepara a dividirse.

- El material de los cromosomas se duplica. No se parece a los cromoso- mas—todavía no.

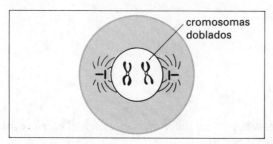

Figura B

- Los pares de cromosomas se enrollan, poniéndose cortos y gruesos. Se ven claramente. Cuéntalos.

- La membrana nuclear se desaparece.

- Unas fibras axiales se forman en el citoplasma. Las fibras axiales se suje- tan a los cromosomas y a los dos extremos de la célula.

- Los dos conjuntos de cromosomas se alinean en el centro de la célula.

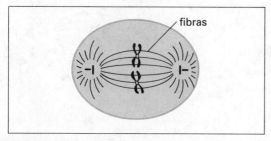

Figura C

- Los cromosomas de cada pareja se separan y se mueven a los extremos opuestos de la célula.

Figura D

- La célula empieza a apretarse (pelliz- carse) por la mitad.

Figura E

- Una nueva membrana nuclear se forma en cada célula hija.

- Los cromosomas se desenrollan.

Figura F

- La célula se ha dividido y ahora hay dos células hijas. Las dos células hijas son exactamente iguales.

AHORA, INTENTA ESTO

Examina los diagramas de abajo. En los espacios en blanco, pon los diagramas en orden al escribir un número del 1 al 5 para indicar la etapa correspondiente de mitosis.

Figura G   **Figura H**   **Figura I**

Figura J   **Figura K**

74

Las células vegetales (de las plantas) también se reproducen por medio de la división celular. Igual que las células animales, las células vegetales hacen copias de sí mismas y llevan a cabo la mitosis. Sin embargo, en las células vegetales, se forman una nueva pared celular y una nueva membrana celular a lo largo de la mitad de la célula. Forman una pared entre los dos núcleos nuevos. Entonces, se forman dos células hijas, una a cada lado de la nueva pared celular.

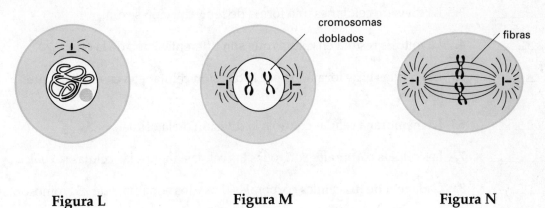

Figura L   **Figura M**   **Figura N**

Figura O   **Figura P**   **Figura Q**

Usa las Figuras de L a Q para contestar las siguientes preguntas.

1. ¿Qué se muestra en el diagrama, la división celular vegetal o animal? _____

2. ¿Cómo lo sabes? _____

3. ¿Qué sucede en la Figura N? _____

    _____

4. ¿Qué sucede en la Figura O? _____

    _____

5. ¿Qué significan las líneas quebradas alrededor de los cromosomas en la Figura M?

    _____

En los espacios en blanco, escribe "Cierto" si la oración es cierta. Escribe "Falso" si la oración es falsa.

_____ **1.** Los cromosomas determinan las características que va a tener un ser vivo.

_____ **2.** La división del núcleo se llama mitosis.

_____ **3.** La división celular es una forma de reproducción sexual.

_____ **4.** La mitosis resulta en células que son diferentes, una de la otra.

_____ **5.** Las células hijas formadas por la división celular se ven exactamente iguales.

_____ **6.** La membrana celular controla la división de la célula.

_____ **7.** Las células corporales son todas las células, menos las células sexuales.

_____ **8.** Cada una de tus células corporales tiene dos conjuntos de 23 cromosomas.

_____ **9.** Las células animales y las vegetales se dividen de la misma manera.

_____ **10.** La mitosis sucede sólo en organismos que se reproducen asexualmente.

AMPLÍA TUS CONOCIMIENTOS

Figura R

Las células producen células solamente de su propia especie. Basándote en tus propias

experiencias, ¿cómo sabes que es cierto? _____

_____

¿Qué es la bipartición?
¿Qué es la gemación?

12

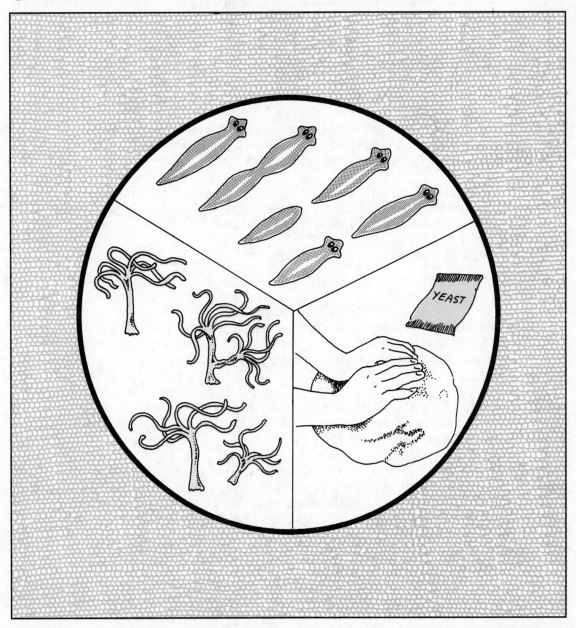

bipartición: forma de reproducción asexual en que una célula se divide en dos células idénticas
gemación: forma de reproducción asexual en que una pequeña parte de una célula se desprende para formar un nuevo organismo

LECCIÓN 12

¿Qué es la bipartición?
¿Qué es la gemación?

Tienes una madre. También tienes un padre. Tienes dos padres: uno femenino y uno masculino.

Tu perro o tu gato también tiene dos padres. También los tiene una mosca. En realidad, la mayoría de los seres vivos provenían de dos padres.

La reproducción que requiere dos padres se llama la reproducción sexual.

Otro tipo de reproducción requiere solamente un padre o progenitor. Este tipo de reproducción se llama la reproducción asexual. Dos métodos de la reproducción asexual son la **bipartición** y la **gemación**.

LA BIPARTICIÓN La bipartición es el método más sencillo de la reproducción asexual. Es la simple división celular. Las bacterias y muchos otros organismos de una célula se reproducen por medio de la bipartición.

Funciona la bipartición así:

- Un organismo crece hasta alcanzar su tamaño completo. La materia hereditaria se duplica.

- Entonces, el organismo se divide en dos. Llega a ser dos células "hijas" Las células hijas son exactamente iguales. También son exactamente iguales a la célula madre, salvo que cada célula hija tiene la mitad del tamaño de la célula madre.

Cada célula hija lleva a cabo sus propias funciones de vida. Cuando cada célula hija alcanza su tamaño completo, se divide en dos. Así produce dos células hijas nuevas. Este proceso sucede una y otra vez.

LA GEMACIÓN Otro tipo de reproducción asexual es la gemación. En la gemación, se forma una nueva célula de una gema pequeña que crece de la célula madre. Cuando llega a ser suficientemente grande, la gema se desprende de la célula madre. Esta nueva célula sigue creciendo. Cuando llega a ser suficientemente grande, se reproduce de la misma forma.

Has aprendido que la bipartición resulta en dos células hijas de tamaño igual. La gemación es diferente. La gemación resulta en dos células de tamaños distintos. Las células no son exactamente iguales en tamaño. La materia hereditaria de la progenie, sin embargo, es exactamente igual a la de la célula madre.

Varios tipos de organismos se reproducen por medio de la gemación. Las levaduras son las más comunes. Las levaduras son organismos de una célula.

Examina las Figuras A, B y C y contesta las preguntas sobre cada una.

Las bacterias son organismos microscópicos. Se reproducen por medio de la bipartición.

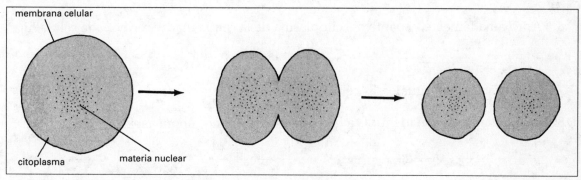

Figura A   *Una sola bacteria reproduciéndose por la bipartición.*

1. ¿Cuáles son las tres partes de una bacteria que se enseñan? _____

    _____   _____

2. ¿Cómo se compara la materia nuclear de la célula madre con la de cada una de las

    células hijas? _____

    _____

3. Aproximadamente, ¿cuánto del citoplasma de la célula madre recibe cada célula hija?

    _____
    la mitad, un cuarto, todo

El paramecio y la ameba son organismos simples de una célula. Son de tamaño microscópico. Se reproducen también por medio de la bipartición.

Figura B   *Una ameba reproduciéndose por la bipartición.*

Figura C   *Un paramecio reproduciéndose por la bipartición.*

4. ¿Cuáles son las tres partes de la célula que se ven en las Figuras B y C?

_____   _____   _____

5. ¿Qué le pasa a la materia nuclear de la célula madre antes de dividirse?

_____

6. Aproximadamente, ¿cuánto del citoplasma de la célula madre recibe cada célula hija?

_____

7. ¿Son exactamente iguales las células hijas? _____

8. Las células hijas son idénticas a la célula madre, menos en un aspecto. ¿Qué es?

_____

9. ¿Qué tipo de reproducción es la bipartición?_____
sexual, asexual

10. ¿Cuántas células madres participan en la bipartición? _____

PARA COMPRENDER LA GEMACIÓN

En la Figura D se ve la gemación de una célula de levadura. Lee la explicación y contesta las preguntas.

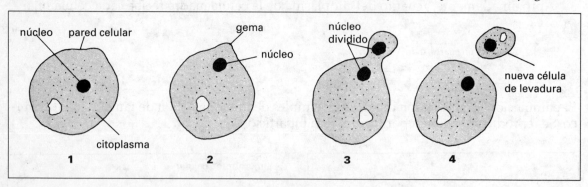

Figura D   *Una célula de levadura reproduciéndose por la gemación.*

- Cuando una célula de levadura empieza a reproducirse por la gemación, parte de su pared celular empieza a hincharse. Esta hinchazón es el principio de la gema (1).

- El núcleo se mueve hacia la gema (2).

- El núcleo se divide igualmente. Ahora hay dos núcleos. Un núcleo se mueve dentro de la gema. El otro núcleo se queda en la célula madre (3).

- La gema se agranda cada vez más. Cuando sea lo suficientemente grande, se desprende de la célula madre (4).

- Esta nueva célula de levadura lleva a cabo las funciones de vida. Se alimenta y crece. Cuando sea lo suficientemente grande, se reproduce también por medio de la gemación.

1. Durante la gemación, el núcleo _____ .
    se divide igualmente, se divide desigualmente

2. Un núcleo se queda en la célula madre. El otro se mueve _____ .
    dentro de, fuera de

3. La cantidad de citoplasma en la célula madre es _____ la cantidad en la gema.
    más de, menos de

4. La gemación es una forma de reproducción _____ .
    asexual, sexual

5. ¿Cuántos padres participan en la gemación? _____

COMPLETA LA ORACIÓN

Completa cada oración con una palabra o una frase de la lista de abajo. Escribe tus respuestas en los espacios en blanco. Algunas palabras pueden usarse más de una vez.

distintos	iguales	reproducción
sexual	asexual	una célula
bipartición	gemación	

1. La creación de vida nueva se llama la _____ .

2. La reproducción que requiere dos padres se llama la reproducción _____ .

3. La reproducción que requiere un padre se llama la reproducción _____ .

4. El tipo más sencillo de la reproducción asexual es la _____ .

5. Las bacterias se reproducen por medio de la _____ .

6. Las amebas son organismos simples de _____ .

7. Las amebas se reproducen por medio de la _____ .

8. Las células de levadura se reproducen por medio de la _____ .

9. La bipartición resulta en células de tamaños _____ .

10. La gemación resulta en células de tamaños _____ .

Empareja cada término de la Columna A con su descripción en la Columna B. Escribe la letra correcta en el espacio en blanco.

	Columna A		Columna B
_____	**1.** la reproducción sexual	**a)**	requiere un padre
_____	**2.** la reproducción asexual	**b)**	produce células de igual tamaño
_____	**3.** la bipartición	**c)**	se reproducen por la gemación
_____	**4.** la gemación	**d)**	requiere dos padres
_____	**5.** las levaduras	**e)**	produce células de distintos tamaños

En los espacios en blanco, escribe "Cierto" si la oración es cierta. Escribe "Falso" si la oración es falsa.

_____ **1.** La producción de vida nueva es la respiración.

_____ **2.** Sólo los animales se reproducen.

_____ **3.** Las levaduras se reproducen por medio de la bipartición.

_____ **4.** Se necesitan dos padres para la reproducción sexual.

_____ **5.** Se necesita una célula madre para la reproducción asexual.

_____ **6.** Las bacterias y las levaduras se reproducen por la reproducción sexual.

_____ **7.** La bipartición es una forma de reproducción asexual.

_____ **8.** La bipartición resulta en progenie de igual tamaño.

_____ **9.** La gemación es una forma de reproducción sexual.

_____ **10.** La gemación resulta en progenie de igual tamaño.

1. Cuando se reproduce una bacteria, se producen dos células hijas. Con las condiciones propicias, las bacterias se reproducen cada 30 minutos.

a) Si empiezas con una sola bacteria, ¿cuántas bacterias tendrás después de una hora? _____

b) ¿Cuántas tendrás después de dos horas? _____

¿Qué son esporas?

13

esporas: células reproductoras
esporangio: estructura que contiene las esporas

¿Has visto alguna vez algo como "pelusa" creciendo en el pan viejo? Si dices que sí, probablemente has visto el moho de pan. El moho es un organismo de muchas células (multicelular). De algunas maneras, los mohos son como las levaduras. Pero los mohos no se reproducen por medio de la gemación como las levaduras. Los mohos se reproducen por medio de células reproductoras especiales que se llaman **esporas**.

Las células de un moho producen muchas ramitas como hilos. Algunos de los hilos son parecidos a raíces. Crecen hacia abajo dentro del alimento que consume el moho.

Otras ramitas como hilos se crecen hacia arriba. Encima de estos hilos hay una bolita. La bolita, o el **esporangio**, contiene miles de esporas. Las esporas son células reproductoras. Una espora de moho es una célula especial que puede reproducir otras plantas de moho. (Recuerda: los seres vivos se producen otros de su especie.)

Cuando un esporangio crezca a su tamaño completo, se estalla. Las esporas salen volando al aire. Tienen peso muy liviano y el movimiento más mínimo de aire los puede transportar. Las esporas se caen sobre todo. Están en ti y en todo lo que te rodea.

Las esporas se caen sobre el pan y los otros alimentos. Si la temperatura y la humedad son propicias, las esporas crecen. Llegan a ser nuevas plantas de moho.

Otros organismos, tales como los hongos y algunas plantas, se reproducen con esporas. La reproducción por medio de esporas es aún otra forma de la reproducción asexual. Es la forma de reproducción asexual más sencilla que utiliza células reproductoras especiales.

Figura A *El moho de pan se ve así.*

El moho de pan tiene pelusa. Al principio es blanco. Luego, se pone gris y después, negro. Muchas veces el moho tiene mal olor.

Figura B *Así se ve el moho de pan con un microscopio.*

El moho tiene forma de hilo. Algunos hilos crecen hacia el pan y absorben los alimentos. Los otros hilos crecen hacia arriba.

Al extremo de cada hilo recto hay un esporangio. Un esporangio contiene miles de células especiales que se llaman esporas. Cada espora puede reproducir una nueva planta de moho.

Figura C *Cuando un esporangio llega a su tamaño completa, se estalla.*

Las esporas viajan por el aire. Se caen sobre toda.

Las esporas que se caen sobre los alimentos pueden llegar a ser nuevas plantas de moho. Se reproducen si la temperatura y la humedad son propicias.

COMPLETA LA ORACIÓN

Completa cada oración con una palabra o una frase de la lista de abajo. Escribe tus respuestas en los espacios en blanco. Algunas palabras pueden usarse más de una vez.

gemación	pelusa	bipartición
moho	humedad	temperatura
muchas	alimentos	como hilos
esporangio	esporas	

1. Los tres tipos de reproducción asexual son la _____, la _____ y la reproducción por _____ .

2. La forma más sencilla de la reproducción que usa células reproductoras especiales es la reproducción por medio de _____ .

3. Un moho es un organismo simple de _____ células.

4. Sin microscopio, el moho tiene _____ .

5. Con microscopio, vemos que el moho se forma por muchas ramitas _____ .

6. Las ramitas como hilos que crecen hacia abajo absorben los _____ .

7. Cada ramita que crece hacia arriba tiene un _____ encima de ella.

8. Un esporangio contiene miles de _____ .

9. Una sola espora de moho puede llegar a ser un nuevo _____ .

10. Una espora de moho puede llegar a ser una nueva planta de moho si se cae sobre _____ y si la _____ y la _____ son propicias.

¿ES LA ESPORA UNA SEMILLA?

Una espora no es una semilla. Una semilla resulta de la unión de dos células padres: una masculina y una femenina. Se producen las semillas por medio de la reproducción sexual.

Una espora la hace una célula madre. Las esporas se producen por medio de la reproducción asexual.

Figura D

Lo que necesitas (los materiales)

un pequeño pedazo de pan   una jarra pequeña con tapa
toalla de papel   agua

Cómo hacer el experimento (el procedimiento)

I. Prepara la jarra.

Figura E

1. Dobla una toalla de papel por la mitad y luego vuelve a doblarla por la mitad.

2. Recorta un pedazo de la toalla de papel para que quepa en el fondo de la jarra.

3. Pon una pequeña cantidad de agua en la jarra: sólo lo necesario para mojar la toalla por completo. Vierte el agua sobrante de la jarra.

II. Recoge las esporas

4. Frota el pan sobre el polvo. (Hay polvo en todas las casas.) Busca en cualquier lugar donde es difícil de limpiar con regularidad.

5. Coloca el pan sobre el papel mojado en la jarra, con el lado con el polvo cara arriba.

6. Coloca la tapa en la jarra, pero no firmemente. Esto es muy importante.

7. Coloca la jarra en un lugar oscuro donde no hace mucho frío.

8. Obsérvala cada día por una semana.

Haz dibujos en las cajas de abajo para mostrar cómo se veía el moho mientras crecía.

Después de 2 días

Después de 4 días

Después de 6 días

Después de 8 días

CIERTO O FALSO

En los espacios en blanco, escribe "Cierto" si la oración es cierta. Escribe "Falso" si la oración es falsa.

_____ 1. La reproducción por medio de esporas es una forma de reproducción asexual.

_____ 2. Los mohos se reproducen por medio de esporas.

_____ 3. Un moho es un animal verde de una sola célula.

_____ 4. El moho produce sus propios alimentos.

_____ 5. Un moho tiene muchas ramitas como hilos.

_____ 6. Las ramitas de moho que crecen hacia abajo alimentan al moho.

_____ 7. Un esporangio contiene semillas.

_____ 8. Las esporas de moho pueden llegar a ser células de levadura.

_____ 9. Las esporas son muy pequeñas.

_____ 10. Cada espora de moho llega a ser una planta de moho. (¡Piénsalo bien!)

PALABRAS REVUELTAS

A continuación hay varias palabras revueltas que has usado en esta lección. Pon las letras en orden y escribe tus respuestas en los espacios en blanco.

1. ROSEPA   _____

2. OMHO   _____

3. LUPASE   _____

4. NAP   _____

5. UALSAEX   _____

AMPLÍA TUS CONOCIMIENTOS

1. Escribe tres cosas que una espora necesita para crecer.

   _____ _____ _____

2. ¿Crees que una semilla necesita las mismas cosas para crecer? _____

¿Qué es la regeneración?

regeneración: capacidad de un animal para reproducir o restaurar partes del cuerpo que se han
    perdido

LECCIÓN
14
¿Qué es la regeneración?

Algo ataca un lagarto y lo agarra por la cola. La cola se desprende. El lagarto se escapa. Poco a poco, la cola del lagarto vuelve a crecer. La cola se reproduce por el proceso de **regeneración**. La regeneración es la capacidad de un animal para reproducir o restaurar las partes del cuerpo que se han perdido.

La regeneración en los animales varía mucho. Algunos animales pueden reproducir sólo las partes pequeñas. El lagarto es uno de estos animales. Otros pueden regenerar partes grandes del cuerpo. Aun otros pueden regenerar un organismo entero de sólo una parte del animal. Ésta es una forma de reproducción asexual.

Por ejemplo, una estrella de mar puede reproducirse por medio de la regeneración. La mayoría de las estrellas de mar tienen cinco brazos. Si se corta sólo uno de los brazos, junto con una parte del centro del cuerpo de la estrella de mar, se puede reproducir una nueva estrella de mar entera.

Cuánto puede regenerarse un animal depende de lo simple o lo complejo que es ese animal. La regeneración en los animales complejos es muy limitada. Los mamíferos sólo pueden regenerar la piel, las uñas, el pelo y ciertos otros tejidos. Los mamíferos no pueden regenerar partes enteras, tales como un brazo o una pierna.

En las Figuras A y B se ve la regeneración de una estrella de mar. Examina las figuras y contesta las preguntas.

Figura A

Figura B

Una estrella de mar puede regenerar los brazos perdidos. Pero puede regenerar aún más.

La estrella de mar regenera una nueva estrella de mar entera de un brazo y parte del centro.

1. **a)** ¿Se puede regenerar más de una estrella de mar de sólo una estrella de mar de

    cinco brazos? _____   **b)** ¿Cuántas? _____

2. **a)** ¿Cuál de las figuras muestra una forma de reproducción asexual? _____

    A, B, las dos

    b) Explica tu respuesta. _____

    _____

3. **a)** ¿Cuál de las figuras muestra sólo la regeneración de una parte del cuerpo? _____

    A,B

    b) Explica tu respuesta. _____

    _____

Un *planario* es un platelminto pequeño (gusano con cuerpo en forma de cinta). Vive en las charcas.

Si se corta un planario en pedazos, regenerará las partes que le faltan.

Se puede cortar un planario por la mitad del ancho del cuerpo. La sección de la cabeza volverá a crecer una cola nueva. La sección de la cola volverá a crecer una cabeza nueva.

Figura C

La forma en que se regenera un planario depende de cómo se separa. Puede ocurrir en la naturaleza, pero también se puede hacer en el laboratorio.

La Figura D muestra cuatro gusanos planarios. Cada uno fue separado de manera distinta. (Las líneas de puntos indican las separaciones.)

La Figura E enseña cuatro grupos de planarios regenerados.

¿Cuál de los planarios se regeneró en cuál de los grupos? Contesta al escribir el número correcto del grupo en el espacio.

Figura D

Figura E

1. Planario **a** llegó a ser grupo _____ .

2. Planario **b** llegó a ser grupo _____ .

3. Planario **c** llegó a ser grupo _____ .

4. Planario **d** llegó a ser grupo _____ .

Figura F

Todos los días se mueren billones de tus células corporales.

Cada vez que te lavas las manos, te limpias de centenas—hasta miles—de células de la piel. Siempre se están regenerando nuevas células de la piel.

Figura G
Cada año, las astas se le caen al venado. Se le salen nuevos cuernos.

Figura H
Si se corta una lombriz en dos partes, las dos parte pueden llegar a ser lombrices enteras.

Figura I
Un lagarto de "cola de cristal" se escapa de sus enemigos al romperse el extremo de la cola. Más tarde, una nueva cola se crecerá.

Figura J
Si una langosta o un cangrejo se pierde una pinza a un enemigo, puede regenerar una nueva.

Completa cada oración con una palabra o una frase de la lista de abajo. Escribe tus respuestas en los espacios en blanco. Algunas palabras pueden usarse más de una vez.

uñas	estrella de mar	partes enteras
simple	lagarto	regeneración
langosta	piel	seres humanos
reproducción asexual	complejo(s)	pelo
cinco	perros	planario

1. La mayoría de las estrellas de mar tienen _____ brazos.

2. La capacidad para reproducir las partes del cuerpo que se pierden se llama la _____.

3. La capacidad de animales para regenerar sus partes depende de lo _____ o lo _____ que es el animal.

4. Los mamíferos son animales _____ .

5. Los _____ y los _____ son ejemplos de mamíferos.

6. Los mamíferos pueden regenerar tejidos como la _____ , el _____ y las _____ .

7. Los mamíferos no pueden regenerar _____ .

8. Dos animales simples que pueden regenerar un animal entero de sólo una parte son el _____ y la _____ .

9. Los animales como el _____ y la _____ pueden reproducir ciertas partes enteras. Pero no pueden regenerar un organismo entero de sólo una parte.

10. La regeneración que forma un organismo entero de sólo una parte se considera una clase de _____ .

Las estrellas de mar se alimentan de las ostras. En una época, los pescadores de ostras trataban de matar las estrellas de mar. Sacaron las estrellas de mar de los ostrales. Las recortaron en pedacitos y echaron los pedazos al agua. ¿Qué crees que sucedió? Termina la historia con tus propias palabras.

_____

_____

_____

¿Qué es la propagación vegetativa?

15

bulbo: tallo subterráneo con hojas carnosas
corte: parte de la planta que se quita para reproducir otra planta
injertar: adherir el corte de una planta a otra planta
tubérculo: tallo subterráneo
propagación vegetativa: reproducción asexual en las plantas

LECCIÓN 15 | ¿Qué es la propagación vegetativa?

Las plantas son seres vivos. Por lo tanto, se reproducen. Muchas plantas se reproducen de semillas. Otras se reproducen sin semillas. La reproducción con <u>semillas</u> es la <u>reproducción sexual</u>. La reproducción <u>sin semillas</u> es la <u>reproducción asexual</u>. La reproducción asexual de las plantas se llama **propagación vegetativa**. En la propagación vegetativa, las raíces, los tallos o las hojas reproducen una o más plantas. Hay varios tipos de propagación vegetativa. Algunos tipos son naturales. Otros tipos son artificiales.

Dos tipos de propagación vegetativa <u>natural</u> suceden por medio de **bulbos** y **tubérculos**.

LOS BULBOS Un bulbo en realidad es un tallo subterráneo corto rodeado de hojas gruesas sin color. Son hojas especiales. No fabrican alimentos como las hojas verdes. Éstas almacenan los alimentos producidos por las hojas verdes sobre la tierra. Las hojas protegen y alimentan al bulbo.

El bulbo que conoces mejor es la cebolla. Una planta de cebolla produce muchos bulbos. De cada bulbo puede nacer una nueva planta de cebolla. Otras plantas que nacen de bulbos son los tulipanes y las azucenas.

LOS TUBÉRCULOS Un tubérculo también es un tallo subterráneo pesado. Almacena los alimentos producidos por las hojas verdes sobre la tierra. La papa blanca es un tubérculo. (La batata o el camote no es un tubérculo.)

Un tubérculo tiene varias yemas u "ojos". En realidad, cada yema es un brote. De cada brote puede nacer una nueva planta entera.

Dos tipos de propagación <u>artificial</u> suceden por medio de **cortes** e **injertos**.

LOS CORTES Es posible que hayas hecho un corte de una planta casera. Recortas el tallo o una hoja de la planta. Colocas el corte en el agua o en la tierra o en la arena húmeda. En unos pocos días, se le salen raíces. Luego, puedes plantar el corte en la tierra.

Los geranios se pueden cultivar de cortes del tallo. Las begonias se pueden cultivar de cortes de las hojas.

LOS INJERTOS Injertar es adherir un corte del tallo de una planta a otra planta. Las plantas luego se juntan. Se puede injertar una planta solamente en otra planta que sea relacionada.

Se usan los injertos principalmente con los frutales.

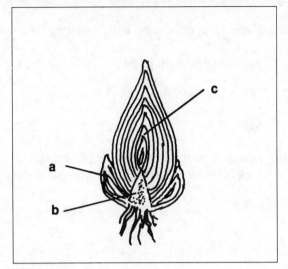

Figura A

En la Figura A se ve un bulbo. Tiene hojas sin color (a), raíces (b) y un tallo (c). Examina una cebolla y trata de identificar estas partes.

1. ¿Qué función tienen las hojas sin

    color? _____

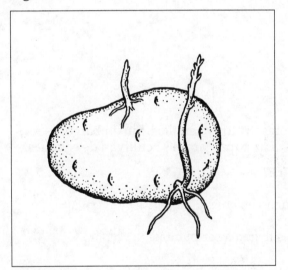

Figura B

En la Figura B se ve un tubérculo. Fíjate en las yemas de la papa. También busca las raíces más pequeñas que crecen del "tallo".

2. ¿Qué función tiene un tubérculo? _____

    _____

    _____

    _____

    _____

Figura C

En la Figura C se ve una planta entera con bulbo.

Tiene **raíces**, **tallos sobre la tierra**, **hojas verdes**, **hojas sin color** y una **flor**.

3. ¿Qué parte absorbe agua y minerales?

    _____

4. ¿Qué parte de la planta produce los ali-

    mentos? _____

5. ¿Dónde se almacenan los alimentos?

    _____

Figura D

Así se ve una planta de papa entera.

Tiene raíces, tubérculos, tallos sobre la tierra, hojas verdes y unas flores pequeñas.

6. ¿Dónde se producen los alimentos para la planta de papa? _____

7. ¿Dónde se almacenan estos alimen tos? _____

8. Busca la parte de un tubérculo que se le señala con una flecha. ¿Para qué se usó? _____

_____

ALGO INTERESANTE

- Las flores producen frutos.

- Los frutos tienen semillas.

- De las semillas nacen plantas nuevas.

- Las plantas con bulbos y tubérculos tienen flores, frutos y semillas. Sin embargo, es raro que una planta de bulbo nace de una semilla. ¡Las papas jamás se cultivan de semillas!

¿POR QUÉ?

- Las semillas de plantas con bulbos tardan mucho en crecer.

- Las semillas de papas son débiles. Raras veces llegan a ser plantas.

HACER CORRESPONDENCIAS

Empareja cada término de la Columna A con su descripción en la Columna B. Escribe la letra correcta en el espacio en blanco.

Columna A

_____ 1. la propagación vegetativa

_____ 2. un tubérculo

_____ 3. la yema del tubérculo

_____ 4. un bulbo

_____ 5. los tubérculos y las hojas sin color de los bulbos

Columna B

a) un brote

b) tallo subterráneo corto rodeado de hojas gruesas y sin color

c) reproducción asexual de las plantas

d) almacenan alimentos

e) tallo pesado subterráneo

LA REPRODUCCIÓN POR MEDIO DE CORTES

Figura E *El corte de un tallo.*

tierra húmeda

Figura F *El corte de una hoja.*

Algunas de las plantas que se reproducen de cortes de tallos son los geranios, la hiedra y muchas clases de uvas. Las rosas también se pueden reproducir de los cortes de tallos.

Las violetas africanas y algunas begonias se reproducen de cortes de hojas.

La reproducción por medio de cortes es la propagación vegetativa _____.
natural, artificial

LA REPRODUCCIÓN POR MEDIO DE INJERTOS

Figura G

Rama del árbol con manzanas sabrosas.

Se juntan las dos ramas.   Se atan.   Se cubre el injerto con cera.

Figura H

El árbol grande en la Figura G es muy fuerte y puede aguantar condiciones malas. Pero las manzanas que le salen son pequeñas y no tienen buen sabor.

Las ramas de manzanos que producen manzanas grandes y sabrosas se pueden injertar en el árbol fuerte. En la Figura H se ve cómo se hace.

¿Qué clase de manzanas producirán las ramas injertadas? _____

La propagación por estolones, por rizomas y por acodo son otras tres formas en que las plantas se reproducen naturalmente sin semillas.

LOS ESTOLONES El tallo principal de una planta crece derecho hacia arriba. Sostiene la planta. Algunas plantas tienen otros tipos de tallos también. Son tallos reproductores especiales que se llaman estolones. Los estolones crecen hacia fuera de las plantas y muy cerca de la tierra (Figura I).

Cada estolón tiene un brote. El brote toca la tierra y empieza una nueva planta. Las fresas, por ejemplo, se reproducen por medio de estolones.

Figura I *Una planta de fresas se reproduce por medio de estolones.*

LOS RIZOMAS Un rizoma es un tallo grueso subterráneo (Figura J). Contiene alimentos almacenados. Los rizomas crecen hacia fuera de la planta.

Los rizomas tienen abultamientos que se llaman nudos. De los nudos nacen los brotes que empiezan nuevas plantas. Los lirios y muchos helechos son plantas que se reproducen por medio de rizomas.

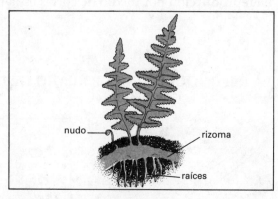

Figura J *Un helecho se reproduce por medio de rizomas.*

EL ACODO Los tallos derechos de ciertas plantas no son muy tiesos. Se inclinan hacia abajo. Si una parte inclinada toca la tierra, echa raíces y forma una planta nueva (Figura K).

La propagación por acodo sucede en la naturaleza. También se puede hacer artificialmente. Las rosas, los frambuesos y las zarzas son ejemplos de plantas que se reproducen por acodo.

Figura K *Una planta de bayas se propaga por acodo. La reproducción por acodo puede ser natural o artificial.*

¿QUÉ MUESTRAN LOS DIBUJOS?

Mira las Figuras I, J y K y contesta las preguntas acerca de cada una.

1. ¿Cuántos estolones ves en la Figura I? _____

2. En la Figura I, la planta más vieja es la de la _____ .

derecha, izquierda

3. La planta más joven es la de la _____ .

derecha, izquierda

4. Los estolones crecen _____ la tierra.

sobre, debajo de

5. Un estolón es una clase especial de _____ .

raíz, tallo, hoja

6. ¿Qué tipos de plantas se reproducen por medio de rizomas?

   _____   _____

7. Un rizoma es una clase especial de _____ subterráneo.

raíz, tallo, hoja

8. En la Figura K, ¿qué lado crees que enseña el acodo natural? _____

X, Y

9. ¿Qué lado enseña el acodo artificial? _____

X, Y

10. Una planta de bayas tiene tallos _____ .

tiesos, inclinados

HAZ ESTO EN CASA

La propagación vegetativa es la reproducción asexual de una planta entera de una parte de la planta. Puedes propagar tus propias plantas enteras de sólo las partes de plantas. Usa la Figura L como una guía. Te muestra lo que tienes que hacer. Ten paciencia: tus nuevas plantas necesitan tiempo para crecer.

Figura L

COMPLETA LA ORACIÓN

Completa cada oración con una palabra o una frase de la lista de abajo. Escribe tus respuestas en los espacios en blanco. Algunas palabras pueden usarse más de una vez.

nudos	húmedos	tallo subterráneo
propagación vegetativa	yemas	acodo
relacionadas	hojas sin color	hacia fuera

1. La reproducción asexual en las plantas se llama la _____ .

2. Los rizomas tienen abultamientos que se llaman _____ .

3. Un bulbo es un corto _____ .

4. Un bulbo se rodea de gruesas _____ .

5. Los estolones crecen _____ de una planta.

6. Los tallos inclinados pueden hacer que una planta se reproduzca por _____ .

7. Hay que mantener _____ los cortes.

8. Un tubérculo es un grueso _____ .

9. Nuevas plantas nacen de las _____ de un tubérculo madre.

10. Se usan injertos sólo con plantas _____ .

CIERTO O FALSO

En los espacios en blanco, escribe "Cierto" si la oración es cierta. Escribe "Falso" si la oración es falsa.

_____ 1. Las plantas se reproducen asexualmente de estolones y rizomas.

_____ 2. La papa es un bulbo.

_____ 3. Los rizomas crecen debajo de la tierra.

_____ 4. Un tubérculo es una flor subterránea corta.

_____ 5. Todos los tallos crecen hacia arriba.

_____ 6. Las plantas tiesas se propagan por acodo.

_____ 7. Los cortes y los injertos son dos formas artificiales para reproducir plantas.

_____ 8. Un corte puede hacerse de un tallo o de una hoja.

_____ 9. Un corte de un tallo o de una hoja debe mantenerse seco.

_____ 10. Se pueden injertar todas las clases de plantas.

¿Cómo se reproducen los animales?

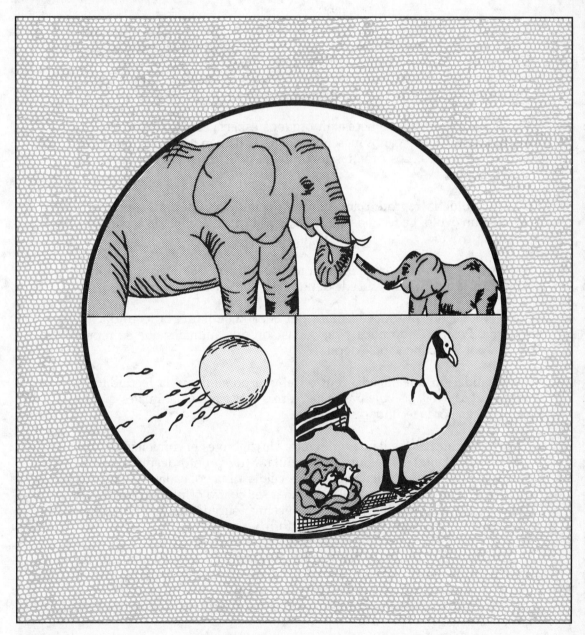

fecundación: unión de una célula del espermatozoide con una célula del óvulo
zigoto: óvulo fecundado

LECCIÓN 16 | ¿Cómo se reproducen los animales?

La mayoría de los animales se reproducen sexualmente. Has aprendido que para que suceda la reproducción sexual, tiene que haber dos padres. Del padre vienen las células sexuales masculinas, que se llaman espermatozoides. De la madre vienen las células sexuales femeninas, que se llaman óvulos. Las células sexuales también se llaman gametos.

En algunos animales se necesitan órganos especiales del cuerpo para la reproducción. Los órganos masculinos, que se llaman testículos, producen espermatozoides. Los órganos femeninos, que se llaman ovarios, producen óvulos.

El proceso de la **reproducción** empieza cuando se unen un espermatozoide y un óvulo. La fecundación es la unión de una célula de espermatozoide y un óvulo.

En algunos animales, la fecundación sucede fuera del cuerpo. En otros animales, la fecundación sucede dentro del cuerpo de la hembra.

La fecundación que sucede fuera del cuerpo se llama la fecundación externa. Los peces dorados y las ranas son dos animales que se reproducen por la fecundación externa.

La fecundación que sucede dentro del cuerpo se llama la fecundación interna. Las aves, las culebras y los perros son algunos animales que se reproducen por la fecundación interna.

El óvulo fecundado se llama un **zigoto**. Un zigoto es el comienzo de una nueva vida. Un zigoto es una sola célula. Muy pronto después de formarse, el zigoto se divide. Se hace dos células. Luego, cada una de estas células se divide. Las dos células llegan a ser cuatro células. Luego, estas células vuelven a dividirse. La división celular sucede una y otra vez. Un organismo joven, o sea, un embrión, se forma.

Al dividirse, las células forman tejidos y órganos. El embrión aumenta de tamaño. Cuando el embrión esté completamente desarrollado, sucede el parto o nacimiento. La progenie, o el descendiente, ahora es un organismo individual. Necesita llevar a cabo todas las funciones de vida por su propia cuenta.

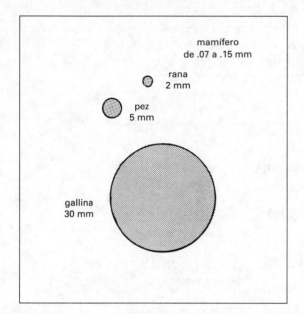

Figura A *Los tamaños de óvulos*

Un óvulo es redondo y grande. Algunos óvulos se pueden ver solamente con el ojo. Un óvulo no puede moverse de un lugar a otro.

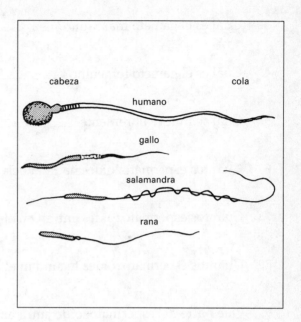

Figura B *Células de espermatozoides (muy aumentadas)*

Un espermatozoide nada libremente. Un espermatozoide tiene una "cabeza" y una "cola". La cola se menea fuertemente. Así se mueve el espermatozoide por adelante hacia el óvulo.

LA FECUNDACIÓN

Figura C *La fecundación de un óvulo humano*

Examina la Figura C. Luego, contesta las preguntas.

1. ¿Cuál es más grande, un espermatozoide o un óvulo? _____

2. Un espermatozoide es _____ más pequeño que un óvulo.

un poco, mucho

3. ¿Cuál es el gameto masculino? _____

4. ¿Cuál es el gameto femenino? _____

5. ¿Cuál se mueve libremente? _____

6. ¿Cuántos espermatozoides nadan hacia un óvulo? _____

sólo uno, muchos

7. ¿Cuántos espermatozoides entran en el óvulo? _____

sólo uno, muchos

8. ¿Cuántos espermatozoides fecundan el óvulo? _____

sólo uno, muchos

9. ¿Qué parte del espermatozoide entra en el óvulo? _____

10. ¿Qué parte se queda atrás? _____

CIERTO O FALSO

En los espacios en blanco, escribe "Cierto" si la oración es cierta. Escribe "Falso" si la oración es falsa.

_____ **1.** Sólo los animales se reproducen sexualmente.

_____ **2.** Todos los animales se reproducen sexualmente.

_____ **3.** Para la reproducción sexual, se necesitan dos padres.

_____ **4.** Las hembras producen gametos que son óvulos.

_____ **5.** Los machos producen gametos que son espermatozoides.

_____ **6.** Los óvulos se mueven libremente.

_____ **7.** Las células de óvulos son más grandes que los espermatozoides.

_____ **8.** Muchas células de espermatozoides fecundan un óvulo.

_____ **9.** Un óvulo fecundado se divide muchas, muchas veces.

_____ **10.** Un embrión es un organismo completamente desarrollado.

Figura D

Figura E

Los perros y los gatos, como los seres humanos, son mamíferos. Los óvulos mamíferos se fecundan y los embriones se desarrollan internamente. Cuando un embrión esté completamente desarrollado, nace. Los mamíferos femeninos producen leche para alimentar a sus crías.

Figura F

Los animales, tales como las aves y las culebras, no son mamíferos. Los óvulos de aves y culebras se fecundan internamente. Sin embargo, la hembra pone los huevos, o sea, los óvulos fecundados. Entonces, los embriones se desarrollan fuera del cuerpo de la madre. Cuando los embriones estén completamente desarrollados, nacen al salirse del huevo.

COMPLETA LA TABLA

Contesta las preguntas al escribir "sí" o "no" en las casillas.

	Mamíferos	Aves	Culebras
1. ¿Es interna la fecundación?			
2. ¿Es interno el desarrollo?			
3. ¿Producen leche las hembras?			
4. ¿Salen de huevos los embriones?			
5. ¿Es externa la fecundación?			

ALGUNOS DATOS INTERESANTES SOBRE LA REPRODUCCIÓN MAMÍFERA

El período de tiempo entre la fecundación y el parto o nacimiento se llama la gestación. El tiempo que dura la gestación varía mucho de un animal a otro.

Animal (mamífero)	Período de gestación (aproximado)
hámster	16 1/2 días
ratón casero	21 días
conejo	30 días
perro o gato	63 días
león	108 días
chimpancé	237 días
ser humano	267 días
vaca	281 días
caballo	336 días
elefante	660 días

Generalmente...

1. Por más pequeño que sea el animal, _____ tiempo dura la gestación.
   más, menos

2. Por más grande que sea el animal, _____ tiempo dura la gestación.
   más, menos

3. ¿Cuál de los animales de la tabla tiene la gestación más larga? _____

4. ¿Cuál de los animales de la tabla tiene la gestación más corta? _____

5. ¿Cuál tiene la gestación más larga, un ser humano o un chimpancé? _____
   _____

AMPLÍA TUS CONOCIMIENTOS

Generalmente, ¿cuántas crías nacen de mamíferos a la vez? Pues, depende del animal. Por ejemplo, de una yegua nace una cría. Del elefante también nace una cría, igual que un ser humano. De los gatos nacen entre 4 y 5 gatitos, y de los perros nacen entre uno a 12 perritos a la vez. De los leones nacen entre 3 y 5 cachorros. Y de un ratón nacen entre 4 y 7 ratoncitos.

¿Qué nos dice el número de crías acerca del número de óvulos fecundados? _____
_____

Generalmente, ¿cuántos óvulos produce un ser humano femenino a la vez? _____

¿Cómo lo sabes? _____

¿Cómo se reproducen y se desarrollan los peces?

17

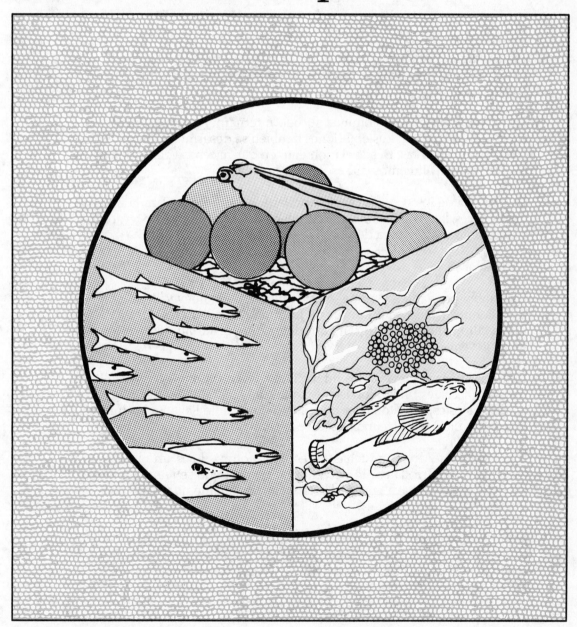

alevines: pececillos jóvenes
lecha: líquido lechoso de un pez que contiene los espermatozoides
hueva: huevecillos de peces
desove: cría de peces
membrana vitelina: parte del huevo que alimenta a los alevines

LECCIÓN 17 | ¿Cómo se reproducen y se desarrollan los peces?

¿Tenías alguna vez una pecera? ¿Criaste los peces tropicales que se llaman olominas *(guppies)*? ¿Has visto a una olomina durante el nacimiento de sus crías?

La fecundación en las olominas sucede <u>internamente</u>, o sea, dentro del cuerpo de la hembra. Los embriones también se desarrollan internamente. Las crías nacen vivas. Desde el momento en que nacen, se defienden solos. Nadan, buscan alimentos y se esconden de peligros.

La mayoría de los peces no se desarrollan de esta forma. Para la <u>mayoría de los peces</u>, la fecundación y el crecimiento del embrión son <u>externos</u>. Los óvulos se fecundan fuera del cuerpo de la hembra.

Ocurre así:

La hembra pone miles y miles—hasta millones—de huevecillos que se llaman la **hueva**. Depositar huevos no fecundados se llama el **desove**. Cada huevecillo contiene una gran cantidad de material alimenticio que se llama la yema.

El macho nada encima de los huevecillos y echa un líquido que se llama **lecha**. La lecha es un líquido lechoso que contiene millones de espermatozoides. Estos espermatozoides que nadan libremente llegan a los huevecillos (los óvulos) y los fecundan. Así se forman muchos zigotos.

Cada zigoto se divide muchas veces. El zigoto se hace un <u>embrión</u>. El embrión se desarrolla en un pececillo muy joven que se llama un **alevín**. Cuando el alevín haya crecido hasta tener un tamaño adecuado, sale del huevecillo.

Una parte del huevecillo, que se llama la <u>membrana vitelina</u>, se queda adherida al alevín y lo alimenta. Al crecerse el alevín, la membrana vitelina se encoge. Pronto, se ha agotado toda la membrana, y el pez se pone lo suficientemente grande para buscar sus propios alimentos.

Estudia las Figuras de A a D. Contesta las preguntas sobre cada una.

La hembra deposita muchos huevecillos.

El macho echa un líquido encima de los huevecillos.

Figura A   **Figura B**

1. ¿Cómo se llama el depósito de huevecillos no fecundados? _____

2. ¿Qué nombre se le da a la masa de estos huevecillos? _____

3. ¿Cómo se llama el líquido de la Figura B? _____

4. ¿Qué contiene este líquido? _____

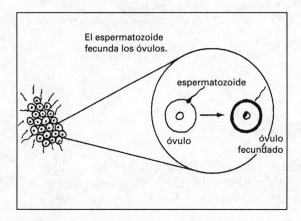

El espermatozoide fecunda los óvulos.

espermatozoide

óvulo

óvulo fecundado

Cada óvulo fecundado se divide una y otra vez.

Figura C   **Figura D**

5. ¿Cómo llegan los espermatozoides a los óvulos? _____

_____

6. ¿Cuántas células de espermatozoides fecundan un óvulo? _____

7. ¿Cómo se llama un óvulo fecundado? _____

8. Después de que un zigoto se haya dividido muchas veces, ¿qué llega a ser?

_____

9. ¿Cómo se llama un pececillo muy joven? _____

Figura E

10. ¿Cómo se llama la parte del huevo que se adhiere al alevín? _____

    _____

11. ¿Cuál es la función de la membrana vitelina? _____

    _____

12. Al crecerse el alevín, ¿qué le pasa a la membrana vitelina? _____

    _____

13. Mira el último dibujo de la Figura E. ¿Qué le ha pasado al alevín? _____

    _____

14. ¿Cómo conseguirá el alimento ahora? _____

ALGUNAS COSTUMBRES RARAS DE LA CRIANZA

La hembra de los peces Convoy (literalmente, "pez de escolta") transporta los huevecillos fecundados en la boca hasta que nazcan. Los pececillos recién nacidos nadan cerca de su madre. Cuando haya peligro, los pececillos entran rápidamente en la boca de su madre.

Figura F *El pez* Convoy

112

Figura G *El hipocampo*

Figura H *El pez espinoso de agua fresca*

El hipocampo se parece a un caballo. El macho de los hipocampos se cuida de los huevecillos fecundados. Los lleva en una bolsa ubicada sobre el abdomen.

¿Sólo hacen nidos las aves? ¡No! El pez espinoso de agua fresca construye un nido de las briznas de plantas. Luego, la hembra pone los huevos en el nido.

Los salmones pacíficos nacen en arroyos de agua dulce, pero pasan la mayor parte de su vida en el agua salada del Océano Pacífico. Sin embargo, regresan al agua dulce para desovar. Los salmones adultos nadan río arriba, algunos viajando hasta 2000 millas. Batallan con las corrientes rápidas y saltan sobre cascadas de hasta 3 metros de alto. Desovan solamente una vez y se mueren poco después.

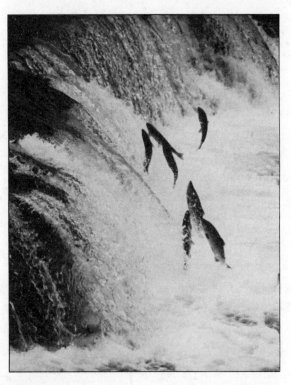

Figura I

1. ¿Por qué se destacan los machos de

   hipocampos? _____

   _____

   _____

   _____

2. ¿Cómo evitan peligros las crías de

   peces *Convoy*? _____

   _____

3. ¿Cuántas veces puede desovar un salmón pacífico? _____

4. ¿En qué se parecen los peces espinosos de agua fresca y las aves? _____

   _____

5. ¿Están adaptados los salmones pacíficos al agua dulce y al agua salada? _____

6. ¿Cómo lo sabes? _____

   _____

COMPLETA LA ORACIÓN

Completa cada oración con una palabra o una frase de la lista de abajo. Escribe tus respuestas en los espacios en blanco.

fuera	membrana vitelina	desove
alevín	externamente	espermatozoides
hueva	pez	alimenta
lecha		

1. En la mayoría de los peces, la fecundación del embrión sucede _____ .

2. En la fecundación externa, el óvulo se fecunda _____ del cuerpo.

3. La masa de huevecillos de pez se llama la _____ .

4. El depósito de huevecillos de pez no fecundados se llama el _____ .

5. El líquido echado encima de los huevecillos por el macho es la _____ .

6. La lecha contiene millones de _____ .

7. Un pececillo muy joven se llama un _____ .

8. La parte del huevecillo adherida al alevín recién nacido se llama la _____ .

9. La membrana vitelina _____ al alevín en desarrollo.

10. Cuando se ha agotado una membrana vitelina, el alevín ha llegado a ser un

    _____ más grande.

HACER CORRESPONDENCIAS

Empareja cada término de la Columna A con su descripción en la Columna B. Escribe la letra correcta en el espacio en blanco.

Columna A		Columna B	
_____ 1.	la fecundación externa	**a)**	el depósito de huevecillos del pez
_____ 2.	la hueva	**b)**	masa de huevecillos de pez
_____ 3.	el desove	**c)**	método para la mayoría de los peces
_____ 4.	la lecha	**d)**	pececillos en desarrollo
_____ 5.	el alevín	**e)**	líquido con espermatozoides de pez
_____ 6.	yema	**f)**	externo
_____ 7.	fuera de	**g)**	material alimenticio

CRUCIGRAMA

Usa las pistas para solucionar el crucigrama.

PISTAS

HORIZONTALES

1. Depósito de huevos no fecundados
5. Un óvulo es _____ grande que un espermatozoide.
7. La _____ vitelina se encoge.
9. Los _____ polares son blancos.
10. Madera cortada
13. Un zigoto es un _____ fecundado.
14. El _____ pacífico nace en agua dulce.
15. La reproducción es una función de _____.
17. Las gallinas _____ huevos.
18. Yo _____, tú lees, ella lee
19. El mar tiene _____ salada.
23. Un elefante es un _____ .
24. Los machos tienen que _____ los huevos.

VERTICALES

2. Tipo de fecundación de muchos peces
3. Una planta o un animal en desarrollo
4. Metal amarillo
5. El espermatozoide es el gameto _____.
6. Ovarios son órganos del _____ reproductor.
8. Respuesta negativa
11. Un pez grande puede _____ por su propia cuenta.
12. La masa de huevecillos de un pez
16. Un pececillo muy joven
17. La boca de un pájaro
20. Donde sale una hoja en un árbol
21. La ballena no es un _____ .
22. Una madre de esta especie guarda sus crías en la _____.

CIERTO O FALSO

En los espacios en blanco, escribe "Cierto" si la oración es cierta. Escribe "Falso" si la oración es falsa.

_____ **1.** Todos los peces se reproducen de la misma forma.

_____ **2.** La mayoría de los huevecillos de peces se fecundan fuera del cuerpo.

_____ **3.** La mayoría de los embriones de peces se desarrollan dentro del cuerpo.

_____ **4.** Los machos de peces depositan los huevecillos.

_____ **5.** Los machos de peces producen la hueva.

_____ **6.** La hueva es una masa de huevecillos del pez.

_____ **7.** En la lecha hay millones de espermatozoides.

_____ **8.** Un espermatozoide fecunda un óvulo.

_____ **9.** Un pececillo muy joven es un alevín.

_____ **10.** Un pececillo se llama un alevín hasta que se quede agotada la membrana vitelina.

PALABRAS REVUELTAS

A continuación hay varias palabras revueltas que has usado en esta lección. Pon las letras en orden y escribe tus respuestas en los espacios en blanco.

1. ALCHE _____

2. TIZOOG _____

3. AMANBREM _____

4. SADREVO _____

5. ALMSNÓ _____

AMPLÍA TUS CONOCIMIENTOS

Un pez es un vertebrado. Un vertebrado es un animal que tiene una columna vertebral.

¿Tienes una columna vertebral? _____

¿Eres un vertebrado? _____

Figura J

¿Cómo se reproducen y se desarrollan las ranas?

18

anfibio: animal que pasa parte de la vida en el agua y parte sobre la tierra
branquias: órganos que absorben el oxígeno disuelto del agua
metamorfosis: cambios durante las etapas del desarrollo de un organismo
renacuajo: etapa temprana de una rana

LECCIÓN 18 | ¿Cómo se reproducen y se desarrollan las ranas?

Una rana es un vertebrado que se llama un **anfibio**. Una rana, igual que todos los anfibios, pasa parte de su vida en el agua y parte sobre la tierra. Su vida de joven se la pasa en el agua. Su vida de adulto se la pasa principalmente sobre la tierra.

Una rana joven sólo puede respirar sumergida en el agua. Una rana adulta puede respirar sobre la tierra y también en el agua. Sobre la tierra, una rana adulta respira por medio de pulmones. Sumergida en el agua, respira a través de la piel.

Las ranas se reproducen en el agua por medio de la fecundación externa. Vamos a ver lo que sucede:

1. La hembra pone centenares, hasta miles, de huevos.

2. El macho expulsa sus espermatozoides al mismo tiempo que se depositan los huevos.

3. Las células de espermatozoides fecundan los óvulos. (Los padres no se quedan con los huevos. Vuelven a la tierra.)

4. Los óvulos fecundados se apiñan y se hinchan mucho. Los rodea un material gelatinoso protector. Luego, siguen la división celular y el crecimiento.

5. Al cabo de unas dos semanas, las crías nacen de los huevos. Una rana recién nacida se llama un **renacuajo.** Un renacuajo está en una etapa muy temprana de una rana. Ni siquiera se parece a una rana.

   Un renacuajo tiene cola pero no tiene patas. Tiene **branquias.** Las branquias son órganos que absorben el oxígeno disuelto que está en el agua. Puede respirar solamente en el agua.

6. Al crecer el renacuajo, su cuerpo se transforma. Se desaparecen la cola y las branquias. Se desarrollan pulmones y cuatro patas. Al cabo de 8 a 12 semanas, el renacuajo se ha convertido en una rana. La rana joven sale del agua y llega a ser un animal de la tierra y del agua.

Del renacuajo a la rana, la forma del cuerpo cambia por completo. El cambio en la forma del cuerpo a que se somete algunos animales a medida que crezcan se llama una **metamorfosis.**

Figura A *Una masa de huevos fecundados*

Una masa de huevos fecundados se parece a la gelatina con manchas blancas y negras. Las manchas negras son zigotos. Las manchas blancas son yemas.

1. ¿Para qué van a servir las yemas? _____

2. La fecundación en las ranas es _____ .
    interna, externa

Figura B *Un óvulo fecundado*

3. ¿Cómo se llama un óvulo fecundado? _____

4. ¿Qué fecunda el óvulo de rana? _____

Figura C *El embrión*

5. El zigoto se convierte en un embrión. Para que suceda esto, el

    zigoto _____ una y otra vez.

Figura D *Una cría de rana recién nacida*

6. ¿Cómo se llama una cría joven de rana? _____

7. Un renacuajo sólo puede vivir _____ .
    en el agua, sobre la tierra

8. Un renacuajo respira por medio de _____ .
    pulmones, branquias

Figura E *Un rena-cuajo de tamaño completo*

9. a) ¿Cómo ha cambiado el tamaño de la cola?

_____

b) ¿Para qué sirve la cola?

_____

Figura F *Se forman las patas traseras*

10. Compara las Figuras D, E y F. ¿Qué está pasando con las branquias? _____

11. Qué está desarrollándose adentro que va a reemplazar a las branquias? _____

Figura G *"Brotes" para las patas delanteras empiezan a aparecer*

12. Compara las patas traseras de la Figura F con las de la Figura G. ¿Qué está pasando a las patas traseras?

_____

13. ¿Qué empieza a suceder con el tamaño de la cola? _____

_____

14. Mira la Figura H. ¿Le queda algo de la cola? _____

15. ¿Cuántas patas tiene la rana adulta? _____

16. ¿Todavía tiene branquias la rana? _____

17. a) ¿Qué utiliza la rana adulta para poder respirar sobre la tierra? _____

Figura H *La rana adulta*

b) ¿Qué utiliza la rana adulta para poder respirar sumergida en el agua? _____

Las ranas son importantes porque se alimentan de insectos.

Una rana tiene una lengua muy larga y pegajosa. Está enrollada dentro de la boca, pero sale repentinamente como un resorte para coger los insectos.

Figura I

¿Cuánto podrá tener una rana de grande? El tamaño de las ranas varía mucho.

Figura J

Esta joven rana arbórea occidental tiene menos de 2 1/2 cm (una pulgada) de largo.

Aun cuando esté completamente desarrollado, tendrá menos de 5 cm (2 pulgadas) de largo.

Figura K

Una rana toro adulta tiene aproximadamente entre 18 a 20 cm (de 7 a 8 pulgadas) de largo.

121

Completa cada oración con una palabra o una frase de la lista de abajo. Escribe tus respuestas en los espacios en blanco. Algunas palabras pueden usarse más de una vez.

externa	cola	anfibio
pulmones	patas	renacuajo
no se parece	vertebrados	metamorfosis
agua	la tierra y el agua	branquias

1. Los animales que tienen columnas vertebrales se llaman _____ .

2. Una rana es un tipo especial de vertebrado que se llama _____ .

3. Un anfibio pasa la vida de joven en el _____ y su vida adulta en

    _____ .

4. Las ranas se reproducen en el _____ .

5. Las ranas se reproducen por la fecundación _____ .

6. Una cría de rana muy joven se llama un _____ .

7. Un renacuajo _____ a una rana.

8. Un renacuajo tiene _____ y _____ .

9. Un renacuajo no tiene _____ ni _____ .

10. Un cambio en la forma del cuerpo que sucede a algunos animales a medida que crez-

    can es la _____ .

Examina las etapas en el ciclo vital de la rana en la Figura L. Indica el orden correcto del desarrollo al escribir las letras de A a F en los espacios en blanco.

Figura L

Empareja cada término de la Columna A con su descripción en la Columna B. Escribe la letra correcta en el espacio en blanco.

Columna A	Columna B
_____ 1. una rana	a) cría joven de rana
_____ 2. un renacuajo	b) para respirar sobre la tierra
_____ 3. las branquias	c) cambio completo en la forma del cuerpo
_____ 4. los pulmones	d) vive sobre la tierra y en el agua
_____ 5. la metamorfosis	e) para respirar en el agua

BUSCA LAS PALABRAS

En la lista de la izquierda hay palabras que has usado en esta lección. Búscalas y traza un círculo alrededor de cada palabra que hallas en la caja. El deletreo de las palabras puede estar hacia arriba, hacia abajo, hacia la izquierda, hacia la derecha o diagonalmente.

METAMORFOSIS

RENACUAJO

ZIGOTO

BRANQUIAS

RANA

PULMONES

ÓVULO

VERTEBRADO

P	S	Í	L	Z	I	G	O	T	O	P	E	B
A	H	I	E	O	S	G	E	M	U	V	R	D
R	U	É	S	R	Ó	Ó	X	L	M	A	O	A
Z	V	L	L	O	N	V	M	Y	N	B	J	T
O	E	T	F	A	F	O	U	Q	S	O	Í	P
B	R	N	O	G	N	R	U	L	J	L	N	U
R	T	C	R	E	H	I	O	A	O	S	E	Z
I	E	U	S	Q	A	Á	U	M	V	T	R	M
E	B	J	M	S	F	C	R	Ñ	A	O	L	O
U	R	S	E	C	A	H	T	A	R	T	G	R
P	A	T	T	N	T	A	R	J	N	X	E	I
L	D	R	E	B	E	N	E	U	T	A	I	M
Ú	O	R	P	A	M	I	N	Q	U	Z	C	E

CIERTO O FALSO

En los espacios en blanco, escribe "Cierto" si la oración es cierta. Escribe "Falso" si la oración es falsa.

_____ 1. Las ranas tienen columnas vertebrales.

_____ 2. Los óvulos de rana se fecundan dentro del cuerpo de la hembra.

_____ 3. Las ranas se reproducen en la tierra.

_____ 4. La rana hembra protege sus huevos fecundados.

_____ 5. Una cría joven de rana se llama un alevín.

_____ 6. Los renacuajos sólo respiran en el agua.

_____ 7. Un renacuajo tiene branquias y una cola.

_____ 8. Una rana tiene branquias y una cola.

_____ 9. Una rana puede respirar sobre la tierra y en el agua.

_____ 10. Una rana puede respirar a través de la piel.

AMPLÍA TUS CONOCIMIENTOS

Figura M

Las patas traseras de una rana son muy poderosas. También son palmeadas.

1. ¿Cuáles son <u>dos</u> cosas importantes que hace una rana con las patas traseras?

_____

2. ¿Qué le ayudan las patas palmeadas a la rana a hacer?

_____

3. ¿Se ponen las personas algunas cosas que se parecen a patas palmeadas?

_____

4. ¿Cuándo se las ponen y por qué?

_____

_____

¿Qué es la meiosis?

19

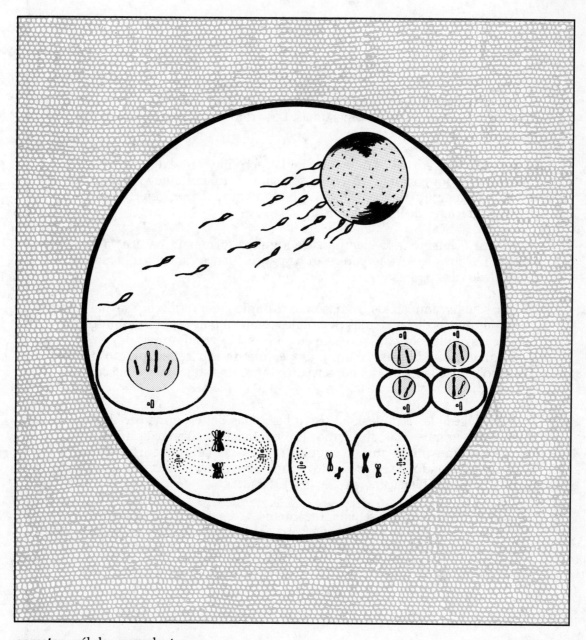

gametos: células reproductoras
meiosis: proceso por el cual se forman los gametos

LECCIÓN 19 ¿Qué es la meiosis?

En la reproducción asexual hay solamente un padre, o sea, una madre, y solamente un conjunto de cromosomas. Los cromosomas se duplican. La progenie es idéntica a la madre.

La reproducción sexual es diferente. En la reproducción sexual, hay dos padres y hay dos conjuntos de cromosomas. Se forma un nuevo organismo con un conjunto de cromosomas de cada padre. La progenie hereda o recibe caracteres de los dos padres.

Piensa en ti mismo, por ejemplo. De algunas formas te pareces a tu madre. De otras formas te pareces a tu padre. Tienes caracteres hereditarios de los dos padres.

¿Cómo se intercambian los cromosomas durante la reproducción sexual? Los cromosomas de las células corporales están en parejas. Los cromosomas de las células sexuales no están en parejas. Los cromosomas de células sexuales son simples. Así que una célula de espermatozoide o de óvulo sólo tiene la mitad del número de cromosomas que una célula corporal.

Cuando suceda la fecundación, los cromosomas del espermatozoide se unen a los cromosomas del óvulo. Juntos, llegan a formar el número total de cromosomas que se encuentran en las células corporales. El óvulo fecundado, o sea, el zigoto, ahora tiene cromosomas de los dos padres. Tiene también caracteres de los dos padres.

Las células reproductoras se llaman **gametos**. Los gametos se desarrollan de células especiales en el cuerpo. El proceso por el cual los gametos se forman se llama la **meiosis**. Puedes ver el proceso de meiosis en la página siguiente.

1. La célula original con dos pares de cromosomas.

2. Cada par de cromosomas se dobla.

3. Las fibras axiales se forman en la célula. Los pares de cromosomas se adhieren a las fibras axiales.

4. Los cromosomas se separan.

5. La célula se divide en dos. Cada célula contiene un cromosoma doblado de cada pareja.

6. Las fibras axiales se forman en cada célula nueva. Los cromosomas doblados se adhieren a las fibras axiales.

7. Los cromosomas doblados se dividen. Un cromosoma va a cada lado de la célula. Luego, cada célula se divide.

8. Así se producen cuatro células. Cada célula tiene un cromosoma de cada pareja de cromosomas.

Figura A

127

Las células corporales se producen por medio de la mitosis. Pero las células de espermatozoides y de óvulos no se producen de esta forma. Las células reproductoras se forman por medio de la meiosis. Cada gameto solamente tiene la <u>mitad</u> del número regular de cromosomas. Pero al unirse el espermatozoide y el óvulo, el zigoto tiene el número completo de cromosomas.

Una célula corporal humana tiene *46* cromosomas. Los cromosomas están en parejas. Así que hay *23* pares de cromosomas.

Figura B

Cada célula de espermatozoide humana tiene 23 cromosomas simples.

Figura C

Cada célula de óvulo humana tiene 23 cromosomas simples.

Figura D

Por medio de fecundación, se unen los cromosomas de los gametos.

Figura E

Entonces, el zigoto tiene un total de 46 cromosomas: 23 son de la madre y 23 son del padre.

El zigoto empieza a dividirse después de la fecundación. Se divide por medio de la mitosis. Se divide una y otra vez a medida que se desarrolla.

Figura F

CIERTO O FALSO

En los espacios en blanco, escribe "Cierto" si la oración es cierta. Escribe "Falso" si la oración es falsa.

_____ **1.** Los cromosomas de células corporales están en parejas.

_____ **2.** El proceso por el cual se forman los gametos es la meiosis.

_____ **3.** Una célula corporal humana tiene 23 cromosomas.

_____ **4.** Mediante la reproducción sexual, la progenie hereda caracteres de sólo uno de los padres.

_____ **5.** Al fecundarse, se unen los cromosomas de los gametos.

_____ **6.** Todos los organismos tienen el mismo número de cromosomas.

_____ **7.** Las fibras axiales se forman dos veces durante la meiosis.

_____ **8.** Un gameto tiene el mismo número de cromosomas que una célula corporal.

_____ **9.** Un gameto tiene el doble del número de cromosomas de una célula corporal.

_____ **10.** Un gameto de rana tiene 13 cromosomas. Entonces, cada célula corporal de rana tiene 26 cromosomas.

COMPLETA LA ORACIÓN

Completa cada oración con una palabra o una frase de la lista de abajo. Escribe tus respuestas en los espacios en blanco.

un conjunto	madre	idéntica
la mitad	caracteres	en parejas
dos		meiosis

1. En la reproducción asexual, solamente hay una _____.

2. En la reproducción asexual, _____ de cromosomas se pasan de la madre a la progenie.

3. En la reproducción asexual, la progenie es _____ a la madre.

4. En la reproducción sexual, hay _____ padres. La progenie hereda _____ de los dos padres.

5. Las células de gametos se producen por la división celular que se llama _____ .

6. Una célula de espermatozoide o de óvulo sólo tiene _____ del número de cromosomas de una célula corporal.

7. Los cromosomas de una célula corporal están _____.

Los científicos suelen estudiar las moscas de la fruta porque tienen un gran número de cromosomas que son fáciles de contar.

- Cada célula corporal de una mosca de la fruta tiene 8 cromosomas.
- Cada gameto (espermatozoide u óvulo) de la mosca de la fruta tiene 4 cromosomas.

Figura G

Figura H *Un espermatozoide fecunda un óvulo.*

Figura I *El zigoto se divide. Luego, cada célula nueva se divide.*

1. Las células corporales se reproducen mediante el proceso que se llama la _____ .

2. Las células de gametos se reproducen mediante el proceso que se llama la _____ .

3. **a)** ¿Cuántos cromosomas hay en la célula de óvulo de una mosca de la fruta? _____

   b) ¿En las células de espermatozoides? _____

4. ¿Qué es lo que controlan los cromosomas?_____

5. ¿Cuántos cromosomas tiene un zigoto de una mosca de la fruta? _____

6. ¿Cuántos cromosomas tendrá cada célula corporal?_____

7. La progenie tendrá los caracteres de la madre y del padre. ¿Por qué? _____ _____

¿Por qué es necesario que un gameto tenga sólo la mitad del número de cromosomas que tienen las células corporales?

_____

_____

_____

¿Cómo se clasifican los seres vivos?

20

género: grupo de clasificación formado por especies relacionadas
reino: grupo de clasificación más grande
filo: grupo de clasificación formado por clases relacionadas
especie: grupo de organismos que se parecen y que pueden reproducirse entre sí
taxonomía: ciencia de clasificar los seres vivos

LECCIÓN 20 | ¿Cómo se clasifican los seres vivos?

¿Cuántos tipos diferentes de plantas y de animales puedes nombrar? ¿Veinte? ¿Treinta?... ¿Cincuenta? Quizá te cuesta creerlo, pero compartimos este planeta con millones de diferentes tipos de organismos. Hasta ahora, se han identificado aproximadamente un millón y medio de organismos distintos. Además, se descubren otros seis mil cada año. Algunos científicos creen que el número llega a ser más de 10,000,000.

¿Cómo nos mantenemos al tanto de este número tan grande de diversos organismos? Los biólogos clasifican los seres vivos en grupos. Los miembros que pertenecen al mismo grupo se parecen de ciertas formas importantes. La ciencia de clasificar los seres vivos se llama la **taxonomía**.

Carl von Linneo formuló un sistema clasificador en 1735. A Linneo se le considera el fundador de la taxonomía moderna. Agrupó los organismos de acuerdo con la forma en que se parecían. Los organismos que tenían aspectos semejantes se agruparon. Hoy en día, consideramos otros elementos también, tales como la estructura de las células, la composición química, los antepasados y la forma en que se desarrolla un organismo antes de nacer.

GRUPOS DE CLASIFICACIÓN   Hoy se clasifican los seres vivos en siete grupos principales de clasificación. Los organismos que se clasifican en el mismo grupo son similares de algunas maneras. Por más que se parezcan los organismos, más grupos comparten.

El grupo de clasificación más grande es el **reino**. Un reino abarca el número más grande de organismos diferentes. Los miembros de un reino comparten solamente unos pocos caracteres o características. En realidad, los miembros del mismo reino pueden no parecerse de forma alguna. Considera la pulga y el elefante como ejemplos. ¿Se parecen? ¡Claro que no! Sin embargo, pertenecen al mismo reino.

Luego se divide cada reino en grupos cada vez más pequeños. Son el **filo**, la clase, el orden, la familia, el **género**, y la **especie**. Al hacerse más pequeños los grupos, más se parecen los miembros.

Piensa en el sistema de la clasificación como una pirámide que está al revés. El reino es la parte más grande. Abarca más espacio, así que en él puede caber el mayor número de organismos: todas las plantas o todos los animales o todos los protistas.

A medida que se baja por la pirámide, ves que cada "cuarto" es más pequeño que el anterior. En ello pueden caber cada vez menos miembros; sin embargo, estos miembros tienen más caracteres en común. Empiezan a parecerse más.

Aumenta el número de miembros, PERO, al aumentar el número, se disminuyen las semejanzas. Los organismos son MENOS parecidos.

REINO

FILO

CLASE

ORDEN

FAMILIA

GÉNERO

ESPECIE

Disminuye el número de miembros, PERO, al disminuir el número, se aumentan las semejanzas. Los organismos se parecen MÁS

Figura A

La especie ocupa el lugar más pequeño de la pirámide de la clasificación. Sólo tiene suficiente espacio para un tipo de organismo: sólo los seres humanos o sólo los olmos o sólo los petirrojos.

Los que pertenecen a una especie en particular se parecen mucho. Los organismos de la misma especie se parecen y pueden reproducirse entre sí... ¿Hay algunas diferencias? ¡Claro que sí! Pero generalmente son diferencias individuales, como las diferencias entre dos personas o entre dos olmos o entre dos petirrojos.

Figura B

Algunos organismos, como los perros y los gatos, se clasifican en un grupo aún más pequeño: la raza. Pero, sin hacer caso de la raza, todos los perros pertenecen a una especie. Todos los gatos pertenecen a otra especie.

EN BUSCA DE LAS SEMEJANZAS

Un miembro de un grupo de clasificación en particular tiene caracteres que son iguales a...

*   todos los miembros de su propio grupo y
*   todos los miembros de los grupos más grandes de clasificación.

Por ejemplo: Un miembro de un filo en particular tiene caracteres que se parecen a...

*   todos los miembros de ese filo y
*   todos los miembros de su reino.

Figura C

Utiliza las Figuras A y C para ayudarte a contestar estas preguntas.

GRUPO DE CLASIFICACIÓN   COMPARTE ALGUNAS CARACTERÍSTICAS CON ESTOS GRUPOS

1. a. un miembro de una <u>clase</u> _____

   b. un miembro de un <u>orden</u> _____

   c. un miembro de una <u>especie</u> _____

      _____

2. ¿Cuáles se parecen más?

   a. ¿los miembros de un orden o los miembros de una familia?_____

   b. ¿los miembros de un orden o los miembros de un filo?_____

3. ¿Cuál tiene más miembros?

   a. ¿un filo o una familia?_____

   b. ¿un género o una familia?_____

4. ¿Cuál tiene menos miembros?

   a. ¿una familia o un género?_____

   b. ¿un orden o un filo?_____

5. **a.** ¿Cuál de los grupos tiene el mayor número de miembros? _____

   b. ¿Cuál de los grupos tiene el menor número de miembros?_____

Estudia la tabla de clasificación para cuatro organismos. Contesta las preguntas en los espacios en blanco.

Tabla 1 Clasificación de organismos

	Diente de león	Perro	Lobo	Ser humano
Reino	Plantae	Animalia	Animalia	Animalia
Filo	Tracheophyta	Chordata	Chordata	Chordata
Clase	Angiospermae	Mammalia	Mammalia	Mammalia
Orden	Asterales	Carnivora	Carnivora	Primates
Familia	Compositae	Canidae	Canidae	Hominidae
Género	*Taraxacum*	*Canis*	*Canis*	*Homo*
Especie	*officinale*	*familiaris*	*lupus*	*sapiens*

6. ¿Cuántos grupos comparten los lobos y los seres humanos?_____

7. ¿Cuántos grupos comparten los lobos y los perros?_____

8. a. ¿Cuáles son los dos organismos que más se parecen? _____

   b. ¿Cómo lo sabes?_____

9. a. ¿Cuál de los organismos se parece menos a los otros tres? _____

   b. ¿Cómo lo sabes?_____

10. ¿En qué reino se clasifica el diente de león?_____

Carl von Linneo formuló un sistema de clasificación. También formuló un sistema para nombrar los organismos que todavía se usa hoy. Su sistema se llama la <u>nomenclatura binomia</u>. Mediante este sistema, cada tipo de organismo tiene un nombre científico de dos partes. La primera parte es el nombre del género en que se clasifica el organismo. La segunda parte es el nombre de la especie. Por ejemplo, el nombre científico de un perro es *Canis familiaris*. (Mira la Tabla 1.) Cuando se escribe un nombre científico, el nombre del género se subraya o se imprime en letra bastardilla.

Contesta las siguientes preguntas sobre los nombres científicos. Puedes referirte a la Tabla 1 para contestar algunas de las preguntas.

1. ¿Cuáles son las dos partes de un nombre científico?

   _____

2. **a.** ¿Cómo se llama el sistema que se usa hoy para nombrar los organismos?

   _____

   b. ¿Quién formuló este sistema? _____

3. **a.** ¿Cuál es el nombre científico para los seres humanos? _____

   b. ¿Cuál es el nombre científico para los lobos? _____

   c. ¿Cuál es el nombre científico para el diente de león? _____

4. ¿Por qué usan los científicos los nombres científicos? _____

   _____

5. ¿Qué está mal con la forma en que se escribió este nombre científico: *canis Familiaris*?

   _____

En una época todos los organismos se clasificaron o en el reino de las plantas o en el reino de los animales. Ahora, la mayoría de los científicos aceptan el sistema de clasificación de los cinco reinos.

He aquí una descripción de los cinco reinos.

Reino de bacterias

Son organismos de una sola célula. No se parecen a ninguno de los miembros de los otros reinos porque no tienen núcleo.

Reino de protistas

Incluye muchos tipos diferentes de organismos. La mayoría de los protistas son de una sola célula. Algunos son organismos simples de muchas células. Algunos se parecen a plantas. Otros se parecen a animales. Las algas son un ejemplo de protistas.

Reino de hongos

¿Te gustan los champiñones? Los champiñones son un tipo de hongo. La mayoría de los hongos se forman por muchas células. Algunos sólo tienen una célula. Los hongos absorben alimentos de su medio ambiente.

Reino de plantas

Las plantas tienen muchas células. Las células vegetales (de plantas) tienen una pared celular y contienen clorofila para fabricar sus propios alimentos.

Reino de animales

Probablemente conoces mejor los miembros del reino animal. Los animales se for man por muchas células. Toman alimentos por fuera del cuerpo.

REINOS

| Bacteria | Protista | Hongo | Planta | Animal |

Figura D

Completa cada oración con una palabra o una frase de la lista de abajo. Escribe tus respuestas en los espacios en blanco. Algunas palabras pueden usarse más de una vez.

de una célula	bacterias	muchas
núcleo	clorofila	hongos
cinco	absorben	fuera

1. La mayoría de los científicos aceptan el sistema de clasificación de _____ reinos.

2. Las plantas tienen _____ células.

3. Los hongos _____ alimentos de su medio ambiente.

4. Todas las _____ tienen una sola célula.

5. Los animales toman alimentos por _____ del cuerpo.

6. Los champiñones son un tipo de _____ .

7. La mayoría de los protistas son _____ .

8. Las plantas usan _____ para fabricar sus propios alimentos.

9. Los animales tienen _____ células.

10. Las bacterias no tienen _____ .

HACER CORRESPONDENCIAS

Empareja cada término de la Columna A con su descripción en la Columna B. Escribe la letra correcta en el espacio en blanco.

Columna A

_____ 1. las bacterias

_____ 2. un champiñón

_____ 3. los animales

_____ 4. las algas

_____ 5. las plantas

Columna B

a) un ejemplo de protistas

b) todos tienen muchas células y toman alimentos por fuera del cuerpo

c) todas tienen muchas células y fabrican sus propios alimentos

d) todas tienen una sola célula

e) un tipo de hongos

¿Qué son las bacterias?

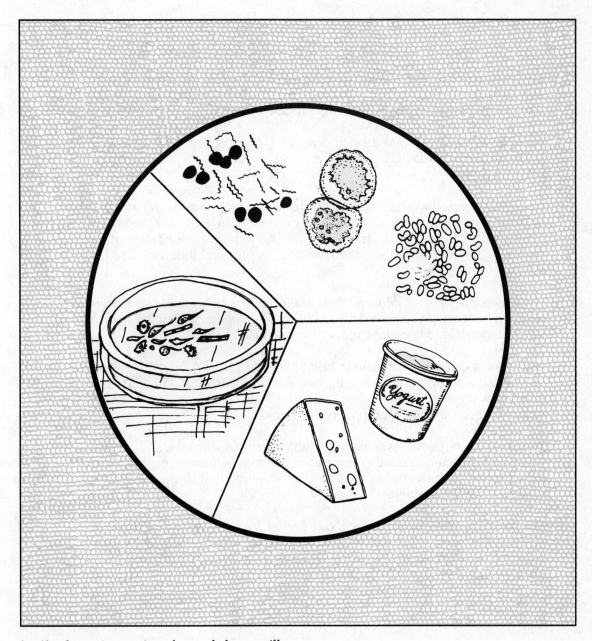

bacilo: bacteria que tiene forma de bastoncillo
coco: bacteria esférica
flagelos: estructuras como pelos que las bacterias usan para moverse
bacterias: organismos de una célula que no tienen núcleo
espirilo: bacteria que tiene forma de espiral

LECCIÓN 21 | ¿Qué son las bacterias?

Las **bacterias** son organismos de una sola célula. Las bacterias figuran entre los seres vivos más pequeños y más simples. Sabemos que son seres vivos porque realizan todos los procesos de vida.

Fíjate en el punto al final de esta oración. ¿Cuántas bacterias crees que pueden caber encima del punto? ¿Creerías entre cincuenta mil y un cuarto de un <u>millón</u>?

Las células bacterianas son únicas. Es decir, son <u>muy</u> raras. Las bacterias no tienen núcleo definido. La sustancia química que generalmente forma un núcleo está esparcida a través del citoplasma. Además, de las otras partes que se encuentran en la mayoría de las otras células, las bacterias sólo tienen algunas.

¿Cuáles son las partes de una célula bacteriana? Las bacterias consisten en el citoplasma y una membrana celular. Las bacterias también tienen una pared celular. De esta forma, se parecen a las plantas.

La mayoría de las bacterias no pueden moverse por sí solas. Se las lleva el viento o algún líquido que se mueve. Algunas bacterias, sin embargo, sí pueden moverse por sí solas. Éstas emplean estructuras como pelos que se llaman **flagelos** para moverse en líquidos.

Todas las bacterias necesitan agua y una temperatura propicia. La mayoría de las bacterias también necesitan oxígeno. Algunas pueden vivir sin oxígeno. La mayoría de las bacterias se alimentan de los restos de plantas y animales muertos.

Las bacterias se encuentran por todas partes. Viven en los océanos, en el aire y en la tierra. Están en el agua que bebes y en los alimentos que comes. Las bacterias cubren tu piel. ¡Aun tienes bacterias que viven en la boca, en la sangre y en los intestinos!

Las **bacterias** se encuentran en tres formas básicas. Pueden ser esféricas (redondas), en forma de bastoncillo o en forma de espiral. Una bacteria redonda se llama un **coco.** Una bacteria que tiene forma de bastoncillo se llama un **bacilo.** Una bacteria que tiene forma de espiral se llama un **espirilo.** Algunos cocos forman pares y cadenas. Otros crecen en racimos como las uvas. Algunos bacilos también forman pares y cadenas. Pero no forman racimos. Los espirilos sólo viven como células solitarias.

Figura A   **Figura B**   **Figura C**

Mira las Figuras A, B y C. Usa las letras para contestar las siguientes preguntas.

1. ¿Cuál de las figuras muestra   **a)** un coco?   _____

   b) un espirilo? _____

   c) un bacilo? _____

2. Una de las bacterias puede mover por sí sola.

   a) ¿Cuál es? _____

   b) Haz un dibujo de esta bacteria en el espacio de abajo.

3. **a)** ¿Cuál de las figuras muestra bacterias que viven <u>solamente</u> como células solitarias?

   _____

   b) ¿Cuál de las figuras muestra bacterias que crecen en grupos como racimos? _____

   c) ¿Qué tipos de bacterias pueden formar pares y cadenas? _____

Por muchas razones las bacterias son importantes.

Figura D *Se usan las bacterias para hacer ciertos alimentos. Algunas se usan para hacer queso, yogur, vinagre y sauerkraut.*

Figura E *¡Tienes bacterias que viven en tu aparato digestivo! Estas bacterias te ayudan a digerir los alimentos. Algunas también producen la vitamina K.*

Figura F *¡Algunas bacterias son "las fábricas de reciclaje" de la naturaleza! Éstas descomponen los restos de organismos muertos. Cuando se muere una planta o un animal, las bacterias de la descomposición se alimentan del organismo y luego descomponen este alimento en sustancias simples como el carbono. Estas sustancias las usan otros seres vivos como nutrimentos.*

Figura G *Las plantas no pueden usar el gas de nitrógeno directamente. Las bacterias en la tierra y en las raíces de algunas plantas transforman el nitrógeno del aire en una forma que las plantas pueden utilizar. Los animales adquieren el nitrógeno que necesitan cuando se comen las plantas.*

Acabas de aprender que las bacterias nos pueden ayudar. Claro que pueden ser dañinas también. Algunas bacterias causan enfermedades en las plantas y los animales. Las bacterias también hacen que los alimentos se pudran.

Figura H *La comida pudrida*

Las bacterias hacen que los alimentos se pudran. Los alimentos que se pudren fácilmente por las bacterias son el pescado, la leche, las frutas y las verduras.

Figura I *Una planta enferma*

Algunas bacterias causan abultamientos como tumores en las plantas. Cada año se pierden millones de dólares debido a los daños a las cosechas que ocasionan las enfermedades bacterianas.

Figura J *Las bacterias causan enfermedades también.*

Las bacterias causan muchas enfermedades en las personas. Algunas de las enfermedades causadas por las bacterias son el botulismo, la tuberculosis, el estreptococo, el cólera, la pulmonía, el envenenamiento de alimentos, el tétanos, la difteria y la meningitis.

Completa la tabla al escribir para cada ejemplo una forma en que las bacterias ayudan y hacen daño.

Las bacterias que ayudan y que hacen daño

	EJEMPLO	AYUDAN	HACEN DAÑO
1.	Humanos		
2.	Plantas		
3.	Alimentos		

CIERTO O FALSO

En los espacios en blanco, escribe "Cierto" si la oración es cierta. Escribe "Falso" si la oración es falsa.

_____ **1.** Los alimentos que las bacterias pueden pudrir fácilmente incluyen el pescado y la leche.

_____ **2.** Algunos epirilos forman cadenas.

_____ **3.** Algunas bacterias pueden vivir sin oxígeno.

_____ **4.** La mayoría de las bacterias no pueden moverse por sí solas.

_____ **5.** Todas las bacterias son dañinas.

_____ **6.** Las células bacterianas tienen una pared celular.

_____ **7.** Las plantas pueden utilizar el nitrógeno directamente.

_____ **8.** Los cocos son bacterias que tienen forma de bastoncillo.

_____ **9.** Las bacterias tienen muchas células.

_____ **10.** Algunas bacterias viven en tu aparato digestivo.

Una sola bacteria y los grupos de bacterias son <u>microscópicos.</u> Necesitas usar un microscopio para poder verlas. Sin embargo, con las condiciones propicias para el crecimiento, las bacterias forman <u>colonias.</u> Puedes ver colonias grandes de bacterias sin ayuda. Puedes cultivar bacterias en una gelatina especial que se llama el agar-agar. El agar-agar es una fuente alimenticia para las bacterias.

Lo que necesitas (los materiales)

- el agar-agar esterilizado en 3 platos de laboratorio esterilizados

- un lápiz engrasador

Cómo hacer el experimento (el procedimiento)

1. Marca con números del 1 al 3 a cada plato de laboratorio en el fondo. Haz anotaciones de todo lo que haces con cada plato de laboratorio.

Figura K

2. Plato N.º 1: Destapa el plato rápidamente y echa polvo o tierra fina sobre el plato. Tapa el plato rápidamente.

   Plato N.º 2: Destapa el plato rápidamente. Espera unos segundos y vuelve a taparlo.

   Plato N.º 3: No hagas nada. Es muy importante que no destapes el plato.

3. Pon los 3 platos en un lugar oscuro y caliente. Al cabo de 2 días, examina cada plato de laboratorio.

Lo que aprendiste (las observaciones)

1. ¿Cuáles de los platos tenían señales del crecimiento de bacterias? _____

   _____

2. ¿Cuál de los platos no tenía ninguna señal del crecimiento de bacterias? _____

Algo en que pensar (las conclusiones)

1. ¿Por qué no había ningún crecimiento en el plato N.º3?_____

   _____

2. ¿Por qué crecen las bacterias en el agar-agar? _____

   _____

Completa cada oración con una palabra o una frase de la lista de abajo. Escribe tus respuestas en los espacios en blanco.

espiral	bacterias	bastoncillo
descomponer los organismos muertos	enfermedades	agua y una temperatura propicia
pares y cadenas	núcleo	bacilos
cocos	esférica	procesos de vida
espirilos	flagelos	

1. Algunos cocos forman _____ .

2. Algunas bacterias usan _____ para moverse.

3. Las bacterias llevan a cabo todos los _____ .

4. Las bacterias no tienen _____ verdadero.

5. Los bacilos pertenecen al reino de _____ .

6. Todas las bacterias necesitan _____ .

7. Las tres formas de bacterias son _____ , de _____ y de _____ .

8. Las bacterias esféricas se llaman _____ . Las de forma de bastoncillo se

   llaman _____ . Las bacterias de forma espiral se llaman _____ .

9. Las bacterias pueden causar _____ en los humanos, las plantas y los animales.

10. Las bacterias nos ayudan al _____ .

Algunas bacterias raras que se llaman bacterias verdes-azules pueden fabricar sus propios alimentos. Las bacterias verdes-azules contienen la sustancia verde de clorofila. La clorofila se necesita para que estas bacterias puedan producir sus alimentos. ¿En qué se parecen estas bacterias a las plantas?

_____

_____

_____

_____

_____

¿Qué son los protistas?

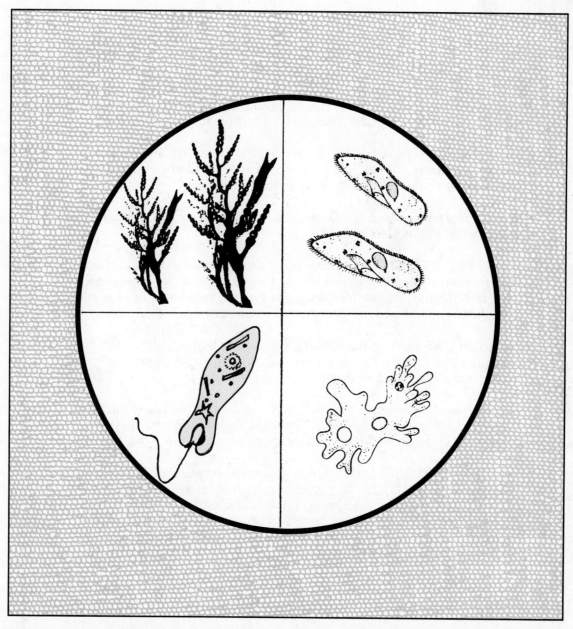

algas: grupo de protistas que se parecen a plantas en que pueden fabricar sus propios alimentos

protistas: organismos simples que tienen un núcleo verdadero

protozoos: protistas de una célula que se parecen a animales en que no pueden fabricar sus propios alimentos

mohos viscosos: protistas que tienen dos etapas de vida

LECCIÓN 22 | ¿Qué son los protistas?

Los protistas forman un reino de organismos muy simples. La mayoría de los **protistas** consisten en una sola célula. Algunos tienen muchas células. A diferencia de las bacterias, todos los protistas tienen núcleo.

La mayoría de los protistas viven en el agua. Viven en los lagos, los arroyos, las charcas y en el océano. Algunos viven en la tierra húmeda. Hasta algunos viven en los cuerpos de animales.

Hay tres grupos grandes de protistas. Los tres grupos son los **protozoos,** las **algas** y los **mohos viscosos.**

- **LOS PROTOZOOS** son organismos, como animales, de una célula. Se parecen a los animales en que no pueden fabricar sus propios alimentos. La mayoría de los protozoos pueden moverse por sí solos en busca de alimentación. Los protozoos no tienen pared celular.

- **LAS ALGAS** son organismos simples, como plantas. La mayoría de las algas solamente tienen una célula. Sin embargo, algunas algas tienen muchas células y llegan a ser muy grandes.

  Todas las algas tienen clorofila. Como las plantas, las algas pueden fabricar sus propios alimentos. Pero, las algas no tienen las partes especiales que tienen la mayoría de las plantas.

- **LOS MOHOS VISCOSOS** son organismos simples que tienen dos etapas de vida. Durante una etapa, los mohos viscosos se parecen a los hongos. Pero hay diferencias importantes entre los ciclos vitales de los mohos viscosos y los hongos. Por esta razón, los mohos viscosos se agrupan ahora con los protistas. Los mohos viscosos no fabrican sus propios alimentos.

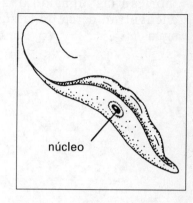

Figura A *ameba*   **Figura B** *paramecio*   **Figura C** *tripanosoma*

Se muestran arriba tres protozoos comunes. Usa las figuras y lo que has leído sobre los protistas para contestar las siguientes preguntas.

1. Los protozoos son organismos de _____ .
una célula, muchas células

2. ¿Fabrican sus propios alimentos los protozoos? _____
sí, no

3. ¿Pueden moverse por sí solos los protozoos? _____
sí, no

4. ¿Tienen pared celular los protozoos? _____
sí, no

5. Examina cada núcleo con atención. El núcleo de un protozoo

   a) tiene una membrana que lo rodea. _____
sí, no

   b) está esparcido en el citoplasma. _____
sí, no

LAS ALGAS

Todas las algas tienen clorofila. Sin embargo, no todas las algas son verdes. Las algas también contienen otras sustancias que les dan diferentes colores. Algunas algas sí son verdes. Otras son rojas, marrones o marrones dorados. Se encuentran las algas en muchos lugares "aguados"...

- Puedes haber visto las algas como el verdín encima de una charca o un lago tranquilos.

- La "pelusa" verde encima de algunas rocas se forma por las algas. No camines sobre las rocas cubiertas de algas. Son muy resbalosas.

- ¿Has visto alguna vez el agua verde en una alberca o piscina? Las algas hacen que el agua se ponga verde. En algunas piscinas, las algas causan un verdadero problema.

- La mayoría de las algas se encuentran en el océano. ¿Has visto alguna vez las algas marinas en la playa? Alga marina es otra manera de decir alga marrón.

¿Son importantes las algas? Sí, son tan importantes como la vida misma... La mayor parte del oxígeno que aspiramos lo fabrican las algas de una célula que se encuentran cerca de la superficie de las aguas.

Figura D

Contesta las siguientes preguntas.

1. ¿Qué es la sustancia que tienen todas las algas que las permite fabricar sus propios

alimentos? _____

2. ¿Cuáles son los cuatro colores de las algas? _____

3. ¿Por qué son importantes las algas unicelulares? _____

_____

ALGUNOS DATOS INTERESANTES SOBRE LOS MOHOS VISCOSOS

¿Has visto alguna vez la película que se titula *The Blob* (la "masa viscosa")? Durante parte de su ciclo vital, un moho viscoso se parece a una masa viscosa sin forma.

Un moho viscoso no fabrica sus propios alimentos. Se rezuma sobre el suelo del bosque en busca de alimentos. Un moho viscoso absorbe sus alimentos.

Los mohos viscosos son protistas muy raros. En una etapa los mohos viscosos se parecen a hongos. Pero durante otra etapa, los mohos se ven y se actúan como amebas. Acabas de aprender que las amebas son protozoos. Un moho viscoco puede formarse por muchas células como amebas. O, a veces los mohos viscosos son simplemente una masa de citoplasma con miles de núcleos.

Figura E

4. ¿Cómo adquiere sus alimentos un moho viscoso? _____

5. ¿A qué organismos se parecen los mohos viscosos durante diferentes etapas de su

ciclo vital? _____

Estás examinando algo con un microscopio... Bueno, la verdad esque no. Pero, imagínate que lo haces.

La Figura F de la página 152 te muestra lo que estás "viendo": 15 tipos diferentes de protistas.

Anton van Leeuwenhoek fue un pionero en la fabricación de microscopios. Vivía hace más de 300 años. Van Leeuwenhoek fue la primera persona en ver los protistas diminutos. Adivina lo que los nombró. "¡Bestias diminutas!" Ahora, tienen nombres científicos muy elegantes.

¿Puedes usar las descripciones para identificar estos protistas? ¡Claro que puedes! PERO, hay una dificultad. Algunos de los nombres son difíciles de pronunciar. Le cuesta trabajo a todo el mundo pronunciarlos. Pero, no te desanimes. En realidad, debe ser muy DIVERTIDO intentarlo.

¡PREPRADOS! ¡LISTOS! ¡YA!

Empareja cada protista de la Figura F con su descripción en la tabla. Escribe la letra correcta en los espacios de la tabla. (Pista: Puedes querer marcar los de que estás seguro primero.)

	Nombre científico	Se parece a	Letra
1.	diátomo	un triángulo	
2.	"heteronema"	un caracol	
3.	"protochrysis"	una judía o un frijol	
4.	"chlamydononas"	una gota con barbas	
5.	paramecio	una pisada	
6.	vorticela	una flor con cuerda telefónica como tallo	
7.	"loxodes"	un pepino que alguien ha mordido	
8.	radiolario	un copo de nieve como encaje	
9.	"lacrymaria"	un cisne	
10.	"anarma"	una bolsa con esquinas peludas	
11.	heliozoo	el sol	
12.	espiroqueta	un tubo con gusanos enrollados por dentro	
13.	"forminiferan"	un racimo de uvas peludas	
14.	"glenodinium monensis"	una hamburguesa	
15.	"trachelocera conifer"	un bate de béisbol	

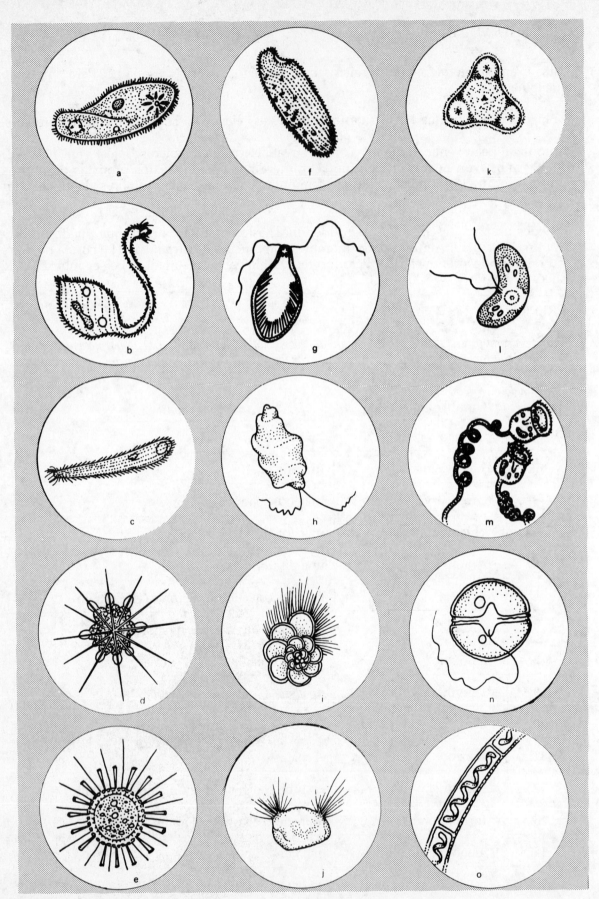

Figura F *El mundo de los protistas*

152

¿Qué son los hongos?

23

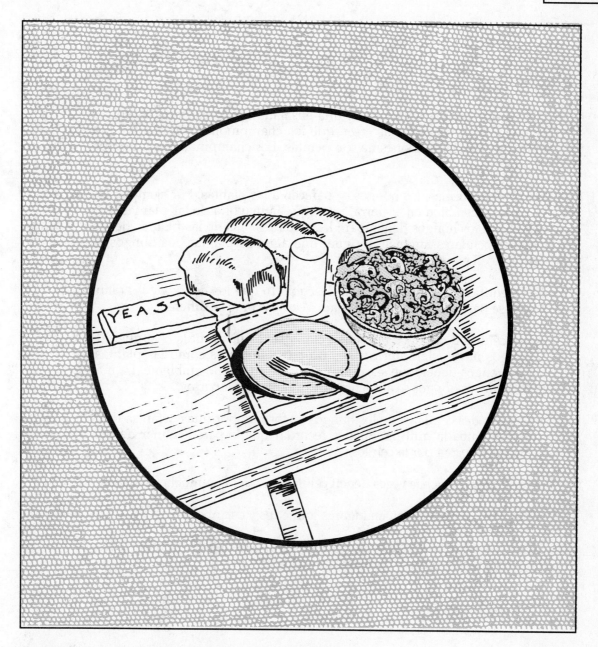

sombrerete: parte del hongo que tiene forma de paraguas
quitina: sustancia dura que forma las paredes celulares de los hongos
hongos: organismos como plantas que no tienen clorofila
laminillas: estructuras que producen las esporas de los hongos
rizoides: estructuras como raíces que fijan los hongos
columnilla: parte como un tallo del hongo

¿Qué son los hongos?

¿Crees que los champiñones en una ensalada están relacionadas con la lechuga? Muchas personas creen que los champiñones son plantas. Sin embargo, los champiñones no son plantas. Los champiñones son un tipo de **hongos**.

De algunas formas, los hongos se parecen a las plantas. Por ejemplo, los hongos crecen bien en la tierra, igual que la mayoría de las plantas. Las células de los hongos tienen paredes celulares. Las de las plantas tienen paredes celulares también. E, igual que algunas plantas, los hongos se reproducen por esporas.

Los científicos, sin embargo, han descubierto que los hongos y las plantas no se parecen mucho en realidad. Veamos cómo se difieren:

• Las células de hongos no tienen cloroplastos ni clorofila. Así que, los hongos no pueden fabricar sus propios alimentos como las plantas. Los hongos tienen que sacar alimentos de su medio ambiente. La mayoría de los hongos se alimentan de organismos muertos.

• Las paredes celulares de los hongos se forman por una sustancia dura que se llama la **quitina.** Puedes recordar que la pared celular de una planta se forma por la celulosa.

• Los hongos muchas veces tienen células grandes con muchos núcleos.

• Los hongos crecen bien en lugares húmedos y oscuros.

Ahora sabes que los champiñones son un tipo de hongo. El reino de los hongos también incluye las levaduras y los mohos.

Las levaduras

Si has hecho el pan alguna vez, probablemente usaste levadura para hacer que esponjara el pan. Las levaduras son hongos sin color y de una sola célula. Crecen bien donde el azúcar está presente. Las levaduras usan el azúcar de alimentación.

Figura A *Las levaduras producen el dióxido de carbono al cocerse la masa de pan en el horno. Cuando las burbujas se forman, el pan se esponja.*

Los mohos

Los mohos son tipos comunes de hongos. Crecen en el pan, en las frutas y hasta en el cuero. La mayoría de los mohos se parecen a una masa de hilos. Algunos hilos tienen estructuras como raíces que se llaman **rizoides**. Fijan el moho al pan. Los nutrimentos se mueven hacia arriba por los rizoides a las otras partes del moho. Otros hilos producen esporas. (Refiérete a la Lección 13.)

Figura B *El moho negro del pan es un moho común.*

Los champiñones

Como los mohos, los champiñones o las setas se forman por muchos hilos. Sin embargo, los hilos están muy apretados. Probablemente puedes reconocer una seta por su forma. La parte como un tallo de la seta es la **columnilla**. En el extremo de arriba está el **sombrerete** en forma de paraguas o de sombrero. La parte de abajo del sombrerete está forrada de **laminillas**. Las laminillas producen esporas.

Figura C *Las partes de una seta.*

155

COMPLETA LA TABLA

Contesta las preguntas al escribir "Sí" o "No" en las casillas.

		Plantas	Hongos
1.	¿Tienen todos muchas células?		
2.	¿Crecen bien la mayoría en lugares asoleados?		
3.	¿Tienen paredes celulares formadas por la quitina?		
4.	¿Tienen clorofila las células?		
5.	¿Hay una pared celular que rodea las células?		
6.	¿Están formadas las paredes celulares por la quitina?		
7.	¿Pueden fabricar sus propios alimentos?		
8.	¿Muchas veces tienen células muy grandes con muchos núcleos?		
9.	¿Crecen al producir estructuras como hilos?		
10.	¿Tienen cloroplastos las células?		
11.	¿La mayoría se alimentan de organismos muertos?		
12.	¿Todos producen esporas?		
13.	¿Crecen bien en lugares oscuros y húmedos?		
14.	¿Son microscópicos la mayoría de ellos?		
15.	¿Están formadas las paredes celulares por la celulosa?		

CIERTO O FALSO

En los espacios en blanco, escribe "Cierto" si la oración es cierta. Escribe "Falso" si la oración es falsa.

_____ 1. Los mohos frecuentemente crecen en panes y en frutas.

_____ 2. Las levaduras crecen bien donde hay azúcar presente.

_____ 3. Los hongos no tienen paredes celulares.

_____ 4. Las laminillas de una seta producen esporas.

_____ 5. Las levaduras consisten en muchos hilos.

LAS PARTES DE UN CHAMPIÑÓN

Marca el diagrama con los nombres de las partes de un champiñón: **sombrerete, laminillas, rizoides, esporas** *y* **columnilla**.

1. _____

2. _____

3. _____

4. _____

5. _____

Figura D

AMPLÍA TUS CONOCIMIENTOS

A muchas personas les gusta comer hongos. Sin embargo, algunos hongos son venenosos. ¿Por qué <u>NUNCA</u> debes recoger y comerte los hongos silvestres?

_____

_____

_____

_____

Figura E

CIENCIA *EXTRA*

El envasado atmosférico modificado

Piensa en las verduras y frutas de tu supermercado local. ¿En cuántas formas distintas están envasadas? Las frutas y verduras frescas frecuentemente se envasan de formas distintas. Algunos productos no están envasados; otros están envueltos en plástico.

Se envasan los alimentos frescos para protegerlos contra las sustancias químicas, las bacterias, el aire y la humedad. Las bacterias en el aire hacen pudrir las frutas y verduras. A veces, se riegan las verduras con sustancias químicas para impedir el crecimiento de bacterias. Otras veces, se usan sustancias químicas para matar las bacterias que ya existen. Sin embargo, estas sustancias químicas muchas veces se quedan en los alimentos y pueden perjudicar a las personas.

En el pasado, el envasado que se empleaba con las hortalizas impedía que entraran gases en el envase. El envase también impedía que salieran los gases del envase. Los gases que las frutas y las verduras emitían estaban atrapados adentro. Los gases aceleraban el ritmo del deterioro.

Se ha formulado un nuevo método para envasar alimentos que los mantiene frescos al controlar su medio ambiente. Este método para envasar se llama el envasado atmosférico modificado. Funciona al envolver la hortaliza (o el alimento) fresca en una envoltura especial de plástico que controla los gases que pueden entrar en el envase. La envoltura también deja escaparse los otros gases. Al disminuir la cantidad de oxígeno y otros gases alrededor de la hortaliza, se disminuye el ritmo del deterioro.

Esta clase de envasado es único en que permite que salgan los gases de la hortaliza. Los científicos piensan que la tecnología del envasado atmosférico modificado puede doblar la duración del producto cuando está todavía de venta.

¿Cuáles son las características de las plantas?

24

celulosa: sustancia sin vida que forma las paredes celulares de las plantas
clorofila: pigmento verde que una planta necesita para poder fabricar sus propios alimentos
cloroplasto: estructura en las células de una planta verde que almacena la clorofila
semilla: estructura reproductora

Las plantas son bonitas para mirar. Adornamos nuestras casas con plantas. Nos dedicamos a cultivar jardines y a tener el césped denso. Algunas veces les regalamos flores a nuestros seres queridos.

Las plantas nos dan placer, pero tienen aún más importancia. Sin las plantas, ¡no habría vida en la Tierra!

Las plantas nos proporcionan oxígeno. También nos proporcionan alimentos. En realidad, todos los alimentos que comemos provienen de las plantas, sea directamente o sea indirectamente.

Probablemente reconoces una planta cuando la ves. Sin embargo, como has aprendido, algunas algas se parecen a plantas. ¿Cómo puedes averiguar si un organismo es una planta? Todas las plantas tienen estas características:

1. Las plantas tienen muchas células.

2. Las células de una planta forman tejidos y órganos.

3. Las células vegetales (de plantas) las rodea una pared celular tiesa. Esta pared celular se forma por una sustancia sin vida que se llama **celulosa.** La pared celular ayuda a que una planta sea tiesa.

4. Las plantas fabrican sus propios alimentos. Las células de plantas verdes contienen estructuras que se llaman **cloroplastos.** Los cloroplastos contienen una sustancia verde que se llama **clorofila.** La planta necesita la clorofila para fabricar sus propios alimentos. La mayor parte de la producción de alimentos sucede en las hojas de las plantas verdes. Está aquí donde se encuentra la mayor parte de la clorofila. Se puede considerar la hoja de la planta la "fábrica de alimentos" de la planta.

El reino de las plantas se divide en dos grupos grandes que se llaman divisiones: las plantas vasculares y las plantas no vasculares.

LAS PLANTAS VASCULARES pertenecen a la división *Tracheophyta*. Las plantas vasculares tienen tallos, raíces y hojas. Todas las plantas de esta división también tienen un sistema vascular. Un sistema vascular consiste en un sistema de tubos que se ligan entre sí. Estos tubos transportan agua y nutrimentos disueltos a todas las partes de la planta.

Las plantas vasculares son las plantas más complejas. La mayoría de las plantas que conoces son de este grupo de plantas. Las plantas vasculares incluyen helechos, árboles, rosas y otras plantas con flores.

LAS PLANTAS NO VASCULARES pertenecen a la división *Bryophyta* (briofita). Las plantas de esta división son muy simples. Las plantas no vasculares no tienen raíces, tallos ni hojas verdaderos. Tampoco tienen un sistema vascular.

Ejemplos de las plantas no vasculares incluyen los musgos, las hepáticas y los ceratófilos. Probablemente has visto el musgo. Crece en lugares sombreados y húmedos. Se encuentra mucho en la tierra debajo de los árboles, en las grietas de las aceras y en las paredes.

Figura A

En la Figura A se ven algunas plantas comunes. Examina los diagramas. Luego, contesta las preguntas.

1. **a)** Las plantas que se muestran son plantas _____.

   vasculares, no vasculares

   b) Éstas _____ tienen un sistema de tubos para transportar el agua y los nutrimentos
   sí, no

   disueltos.

2. Estas plantas pertenecen a la división _____.

   Bryophyta, Tracheophyta

3. ¿Tienen las traqueofitas verdaderos raíces, tallos y hojas? _____

4. Las plantas traqueofitas son plantas _____.

   simples, complejas

musgo   ceratófilo   hepática

Figura B

5. Escribe los nombres de las plantas de la Figura B: _____

_____   _____

6. Éstas son plantas _____ .
                    vasculares, no vasculares

7. Estas plantas pertenecen a la división _____ .
                              Bryophyta, Tracheophyta

8. ¿Tienen las briofitas verdaderos raíces, tallos y hojas? _____
                                                          sí, no

9. Las briofitas son plantas _____ .
                          simples, complejas

10. Los musgos y las hepáticas son ejemplos de plantas _____ .
                                                    briofitas, traqueofitas

HACER CORRESPONDENCIAS

Empareja cada término de la Columna A con su descripción en la Columna B. Escribe la letra correcta en el espacio en blanco.

Columna A	Columna B
_____ **1.** la clorofila	**a)** formada por la celulosa
_____ **2.** plantas vasculares	**b)** crecen en áreas húmedos y sombreados
_____ **3.** el reino de las plantas	**c)** tienen tallos, raíces y hojas
_____ **4.** los musgos	**d)** sustancia verde
_____ **5.** la pared celular	**e)** se divide en dos grupos grandes

162

Algunas de las características de la tabla de abajo pertenecen solamente a las plantas traqueofitas. Algunas pertenecen solamente a las plantas briofitas. Y algunas pertenecen tanto a las traqueofitas como a las briofitas. Contesta las preguntas al escribir "Sí" o "No" en las casillas.

		DIVISIÓN	
		Traqueofita	Briofita
1.	¿Son plantas vasculares?		
2.	¿Tienen paredes celulares las células?		
3.	¿Son plantas no vasculares?		
4.	¿Tienen un sistema de tubos que se ligan entre sí?		
5.	¿Tienen cloroplastos las células?		
6.	¿Están formadas por muchas células?		
7.	¿Tienen verdaderos raíces, tallos y hojas?		
8.	¿Pueden fabricar sus propios alimentos?		
9.	¿Pertenecen los musgos a este grupo?		
10.	¿Pertenecen los árboles a este grupo?		
11.	¿Son plantas muy simples?		
12.	¿Son plantas complejas?		
13.	¿Pertenecen las hepáticas a este grupo?		
14.	¿Pertenecen las rosas a este grupo?		
15.	¿Pertenecen los helechos a este grupo?		

En la Lección 13, aprendiste que algunas plantas se reproducen por medio de esporas. Por ejemplo, los helechos son plantas comunes con esporas.

La mayoría de las plantas, sin embargo, se reproducen por **semillas**. Una semilla es una estructura reproductora. Todas las plantas con semillas son plantas vasculares.

Los biólogos clasifican las plantas con semillas en dos grupos. Un grupo tiene semillas desnudas, o sea, sin piel protectora. Este grupo se llama <u>plantas gimnospermas</u>. Las semillas del otro grupo tienen pieles protectoras fuertes. Este grupo se llama <u>plantas angiospermas</u>.

Las plantas gimnospermas más comunes y mejor conocidas son los siempreverdes. Los siempreverdes producen piñas. Sus semillas están dentro de las piñas. Los siempreverdes también tienen hojas especiales que se llaman agujas. Las agujas permanecen verdes todo el año. Los pinos, los cedros y los abetos son gimnospermos.

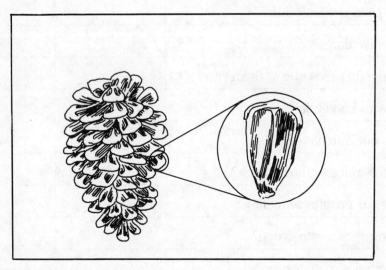

Figura C

Las plantas angiospermas son plantas con flores. La mayoría de las plantas comunes que ves todos los días son angiospermas. En algunas plantas angiospermas, tales como las rosas y los tulipanes, las flores son muy perceptibles. En las otras, las flores son muy pequeñas. Las hierbas, los robles y el maíz son angiospermos. ¿Has visto sus flores alguna vez?

Clasifica cada una de las plantas de abajo como gimnosperma o angiosperma. Luego, escribe si tiene una semilla sin piel protectora o con piel protectora.

Figura D *Planta de maíz*

1. Una planta de maíz es un _____ .
   <small>gimnospermo, angiospermo</small>

   Tiene semillas _____ piel protectora.
   <small>sin, con</small>

Figura E *Pino*

2. Un pino es un _____ .
   <small>gimnospermo, angiospermo</small>

   Tiene semillas _____ piel protectora.
   <small>sin, con</small>

Figura F *Abeto*

3. Un abeto es un _____ .
   <small>gimnospermo, angiospermo</small>

   Tiene semillas _____ piel protectora.
   <small>sin, con</small>

Figura G *Tulipán*

4. Un tulipán es un _____ .
   <small>gimnospermo, angiospermo</small>

   Tiene semillas _____ piel protectora.
   <small>sin, con</small>

5. Los gimnospermos más comunes son _____ .
   <small>los siempreverdes, las hierbas</small>

6. La mayoría de las plantas se reproducen por _____ .
   <small>esporas, semillas</small>

7. Las plantas angiospermas son _____ .
   <small>piñas, flores</small>

8. Los siempreverdes tienen hojas especiales que se llaman _____ .
   <small>agujas, flores</small>

Completa cada oración con una palabra o una frase de la lista de abajo. Escribe tus respuestas en los espacios en blanco. Algunas palabras pueden usarse más de una vez.

nutrimentos disueltos	divisiones	no tienen
briofitas	hojas	alimentos
raíces	complejas	tallos
oxígeno	celulosa	vascular
pared celular	agua	cloroplastos
muchas		

1. No puede existir vida sin las plantas. Las plantas nos dan _____ y

   _____ .

2. El reino de las plantas se divide en dos grupos grandes que se llaman _____ .

3. Las plantas fabrican sus propios _____ .

4. Una _____ tiesa rodea las células vegetales.

5. Las células vegetales tienen estructuras llamadas _____ , que contienen clorofila.

6. Un sistema _____ es un sistema de tubos que se ligan entre sí.

7. En algunas plantas, los _____ y el _____ se llevan a través de la planta por un sistema vascular.

8. Las plantas vasculares son más _____ que las plantas no vasculares.

9. Las plantas vasculares tienen verdaderos _____ , _____ y _____ .

10. Las plantas no vasculares _____ verdaderos raíces, tallos y hojas.

11. La mayor parte de la fabricación de alimentos sucede en las _____ de las plantas verdes.

12. Las plantas tienen _____ células.

13. Los musgos, las hepáticas y los ceratófilos son plantas _____ .

14. Una planta necesita la clorofila para fabricar sus propios _____ .

15. La pared celular está formada por la _____ .

¿Qué son las raíces, los tallos y las hojas?

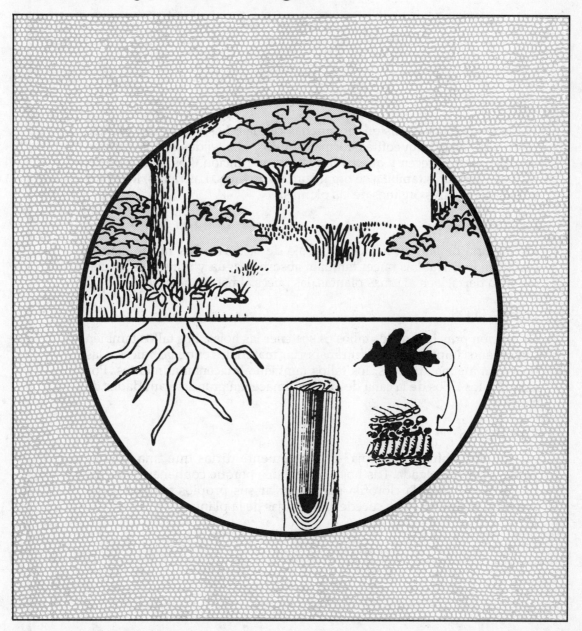

hoja compuesta: hoja que tiene un limbo que se divide en hojuelas más pequeñas
cofia: cubre y protege la punta de la raíz
pelos: estructuras pequeñas como pelitos que ayudan a la raíz a absorber más agua
hoja simple: hoja que tiene todos los limbos en una sola parte
tejidos: grupos de células que se parecen y que tienen la misma función

LECCIÓN 25 | ¿Qué son las raíces, los tallos y las hojas?

Todas las plantas consisten en muchas células. Las células de plantas vasculares, o las traqueofitas, forman **tejidos**. Los tejidos son grupos de células que se parecen y que tienen la misma función. Los tejidos de las plantas vasculares también se organizan en órganos. Las raíces, los tallos y las hojas son tres órganos de las plantas.

LAS RAÍCES

La mayoría de las raíces crecen debajo de la tierra. Las raíces fijan la planta en la tierra. Las raíces también absorben agua y minerales disueltos en la tierra, y en algunas plantas, las raíces almacenan alimentos.

LOS TALLOS

La función principal de los tallos es sostener las hojas. Los tallos también son órganos importantes para transportar materiales entre las raíces y las hojas. En algunas plantas, los tallos también almacenan alimentos. Por ejemplo, los tallos de la caña de azúcar almacenan grandes cantidades de azúcar.

LAS HOJAS

¿Cómo describirías una hoja? Probablemente dirías que una hoja es verde, plana y delgada. Las hojas son verdes porque contienen clorofila. La planta necesita la clorofila para fabricar sus propios alimentos. La producción de alimentos sucede en las hojas de la planta.

LAS PARTES DE UNA RAÍZ

- Las raíces son estructuras como tubos, formadas por tres capas. Muchas estructuras diminutas como pelitos que se llaman **pelos** salen de la capa externa. Los pelos ayudan a la raíz a absorber más agua.

- La capa del medio almacena agua y alimentos para la raíz.

- La capa interna se forma por un tejido de transporte o un tejido vascular.

La **cofia** cubre la punta de la raíz. La cofia protege la punta de la raíz contra daños a medida que crezca en la tierra.

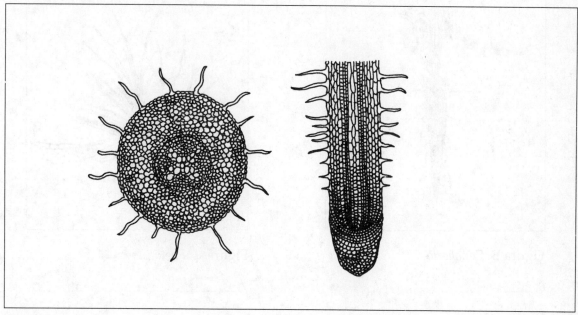

Figura A

Lee la selección y examina la Figura A para contestar las siguientes preguntas.

1. ¿Una raíz se forma por cuántas capas? _____

2. ¿En qué capa se encuentran los pelos de la raíz? _____

3. ¿Cuál es la función de los pelos de la raíz? _____

4. ¿En qué consiste la capa interna? _____

5. ¿Cuál es la estructura que cubre la punta de la raíz? _____

Hay dos tipos principales de sistemas de raíces. Son <u>sistemas de raíces fibrosas</u> y <u>sistemas de raíces primarias</u>. Las raíces fibrosas consisten en muchas raíces delgadas ramificadas. Un sistema de raíz primaria tiene una raíz grande. Muchas raíces pequeñas y delgadas salen de la raíz grande.

*Identifica el tipo de sistema de raíces que se muestran en las Figuras de B a E como **raíz fibrosa** o **sistema de raíz primaria**.*

Figura B *Zanahoria*

6. _____

Figura C *Pasto*

7. _____

Figura D *Trigo*

8. _____

Figura E *Rábano*

9. _____

Lee acerca de cada dibujo. Luego, contesta las preguntas al lado del dibujo.

Hay dos tipos de tallos de las plantas. Son <u>tallos her-</u><u>báceos</u> y <u>tallos leñosos</u>. Los tallos herbáceos son blandos y verdes.

1. ¿Cuáles son dos tipos de tallos de las plantas?

   _____

2. ¿Qué clase de tallo tiene el tulipán? _____

3. ¿Por qué crees que las plantas con tallos herbáceos

   no crecen muy altas? _____

   _____

Figura F

Los tallos leñosos son gruesos, duros y ásperos. Todos los árboles tienen tallos leñosos.

4. Los tallos leñosos _____ verdes.
   son, no son

5. ¿Cómo se llama la capa áspera externa de un tallo

   leñoso? _____

Figura G

Tanto los tallos herbáceos como los leñosos tienen tubos de transporte. Un grupo de tubos transporta los materiales desde las raíces hacia arriba. El otro transporta los materiales desde las hojas hacia abajo a través de la planta.

6. ¿Cuáles son los materiales que los tubos trans portan desde las raíces hacia arriba?

   _____

7. ¿Cuál es el material que los tubos transportan

   desde las hojas hacia abajo?_____

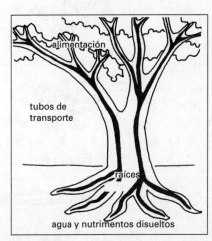

Figura H

La mayoría de las hojas tienen un rabillo, o pecíolo, y una parte ancha y plana que se llama el limbo o la lámina. El rabillo fija la hoja en el tallo. La fabricación de alimentos sucede en el limbo. A través del limbo hay muchas nervaduras, o venas. Las nervaduras consisten en tejidos de transporte.

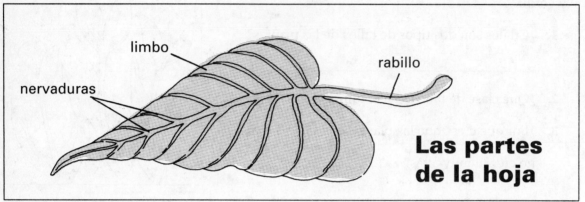

Figura I *Las partes de la hoja*

En algunas plantas los limbos de las hojas son de una sola pieza. Este tipo de hoja se llama **hoja simple**. En otras plantas, el limbo de la hoja se divide en partes más pequeñas que se llaman hojuelas o folíolos. Este tipo de hoja se llama **hoja compuesta**.

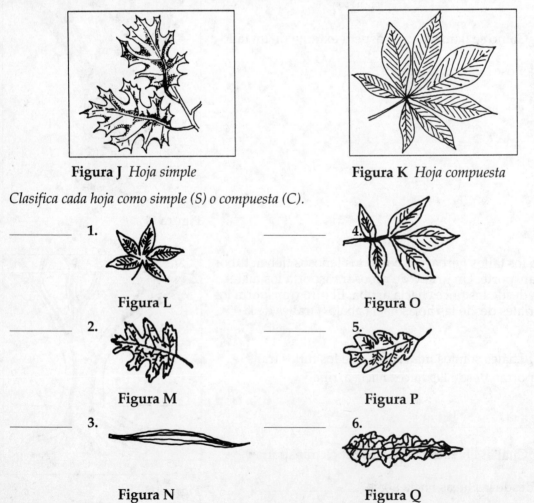

Figura J *Hoja simple* **Figura K** *Hoja compuesta*

Clasifica cada hoja como simple (S) o compuesta (C).

_____ 1. **Figura L**

_____ 2. **Figura M**

_____ 3. **Figura N**

_____ 4. **Figura O**

_____ 5. **Figura P**

_____ 6. **Figura Q**

Consigue una sola hoja de un árbol. Busca el limbo y el rabillo de tu hoja. Averigua si la hoja tiene hojuelas. Haz un dibujo de tu hoja en el espacio de abajo. Identifica cada parte de la hoja con un rótulo y escribe si tu hoja es una hoja simple o compuesta.

Figura R

EL INTERCAMBIO DE GASES

Los estomas son huecos muy pequeños que están en la cara inferior de las hojas de una planta. El oxígeno y el dióxido de carbono del aire entran en la planta por los estomas. Junto con el agua, el oxígeno y el dióxido de carbono también salen de la planta por los estomas.

1. ¿Para qué proceso necesitan las plantas el oxígeno? _____

2. ¿Cuáles son los desechos de la respiración?

   _____

3. ¿Qué gas necesitan las plantas para fabricar sus propios alimentos?

   _____

Figura S

COMPLETA LA ORACIÓN

Completa cada oración con una palabra o una frase de la lista de abajo. Escribe tus respuestas en los espacios en blanco. Algunas palabras pueden usarse más de una vez.

compuesta	transporte	leñosos
estomas	tallos	fabricación de alimentos
protege	muchas	raíz primaria

1. Los _____ herbáceos son blandos y verdes.

2. Las nervaduras de una hoja consisten en tejidos de _____.

3. Una zanahoria tiene un sistema de _____.

4. Las raíces fibrosas consisten en _____ raíces delgadas ramificadas.

5. El oxígeno entra en una planta por los _____ .

6. La función principal de los _____ es sostener las hojas.

7. La _____ sucede en las hojas.

8. La cofia _____ la punta de la raíz.

9. Los tallos _____ son gruesos y ásperos.

10. Una hoja _____ está divida en hojuelas.

HACER CORRESPONDENCIAS

Empareja cada término de la Columna A con su descripción en la Columna B. Escribe la letra correcta en el espacio en blanco.

Columna A	Columna B
_____ 1. los pelos	a) absorben agua y minerales disueltos
_____ 2. el sistema de raíces fibrosas	b) transportan materiales a través de la planta
_____ 3. una hoja simple	c) parte ancha y plana de una hoja
_____ 4. las raíces	d) cubre la punta de la raíz
_____ 5. los tubos de transporte	e) huecos muy pequeños
_____ 6. los estomas	f) limbos de la hoja son de una pieza
_____ 7. la cofia	g) sistema de raíces del pasto
_____ 8. el limbo	h) ayudan a la raíz a absorber más agua

¿Cómo consiguen su energía los seres vivos?

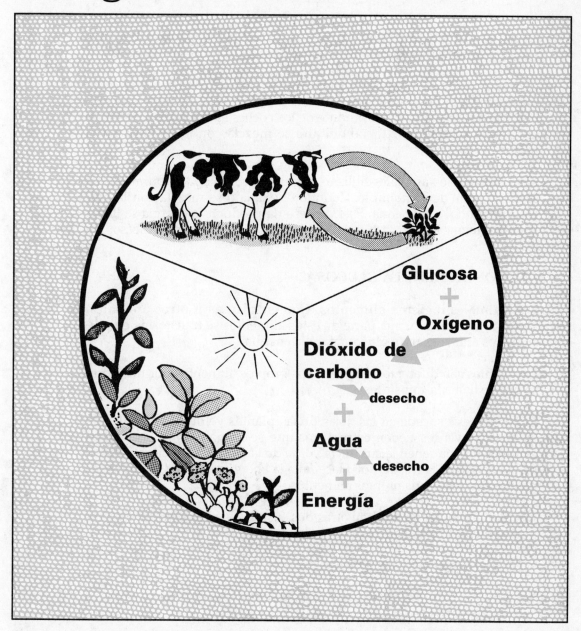

fotosíntesis: proceso de fabricar alimentos en las plantas
respiración: proceso en que los organismos sacan energía de los alimentos
estomas: pequeñas aberturas en una hoja

Necesitas energía para vivir, también la necesitan las plantas. <u>Todos</u> los seres vivos necesitan energía para llevar a cabo sus procesos de vida.

¿Cómo consiguen energía las plantas y los animales? Lo hacen de la misma manera en que tu coche obtiene la energía, al quemar un combustible o carburante. El carburante de los coches es la gasolina. Se emite la energía cuando el oxígeno del aire se mezcla con la gasolina en el motor.

Las plantas y los animales utilizan la glucosa como su "carburante". La glucosa es un azúcar simple. Cuando el oxígeno se mezcla con la glucosa, se produce la energía. Este proceso de producir la energía se llama la **respiración**. Recuerda que la respiración es uno de los procesos de vida.

¿DE DÓNDE VIENE LA GLUCOSA?

Los animales ingieren alimentos. Comen plantas u otros animales. Durante la digestión, una parte de estos alimentos se transforma en glucosa. Los animales usan glucosa para la energía.

Las plantas son diferentes. Fabrican sus propios alimentos por un proceso que se llama la **fotosíntesis**.

La fotosíntesis sucede en las hojas de las plantas verdes. Las células de las plantas verdes tienen estructuras que se llaman cloroplastos. Los cloroplastos contienen la sustancia verde de la clorofila. La clorofila atrapa la energía de la luz del sol. Hace falta la energía de la luz para que las plantas fabriquen sus propios alimentos.

Las plantas también necesitan otras dos sustancias para fabricar sus propios alimentos: el <u>agua</u> y el <u>dióxido de carbono</u>.

- El agua entra en la planta por las raíces.

- La mayor parte del dióxido de carbono entra en la planta por huecos muy pequeños en las hojas que se llaman **estomas**.

El proceso de producir energía en los seres vivos se llama la respiración. La respiración es la emisión de energía que resulta de mezclar el oxígeno con los alimentos digeridos (la glucosa). También se producen el dióxido de carbono y el agua. Son los desechos de la respiración.

Ésta es una forma sencilla para mostrar la respiración:

Glucosa + Oxígeno ⟶ **Dióxido de carbono + Agua + Energía**
desecho   desecho

El proceso de fabricar alimentos de las plantas verdes se llama la fotosíntesis. La fotosíntesis también es responsable de la producción del oxígeno.

Se puede enseñar la fotosíntesis de esta forma:

Dióxido de carbono + Agua ⟶ clorofila / luz del sol (energía) ⟶ **Glucosa + Oxígeno**

Refiérete a esta información y contesta las siguientes preguntas.

1. ¿Cómo se llama la emisión de energía por los seres vivos? _____

2. La respiración es _____ en las plantas y en los animales.
   diferente, idéntica

3. Dos desechos producidos por la respiración son el _____

   y el _____ .

4. ¿Cuál es el "carburante" que usan los seres vivos para la energía? _____

5. ¿Qué tiene que mezclarse con este carburante para producir energía? _____

6. ¿Consiguen alimentos desde fuera las plantas? _____

7. ¿Cómo consiguen sus alimentos las plantas? _____

   _____

8. El proceso de fabricar alimentos en las plantas se llama la _____ .

9. La fotosíntesis combina dos productos químicamente. ¿Cuáles son?

   _____

   _____

10. La fotosíntesis también requiere la energía y la sustancia verde que se

    llama _____ .

11. ¿En qué parte de la planta sucede la fotosíntesis mayormente?

    _____

Figura A

Examina con atención la Figura B. Luego, contesta estas preguntas.

Figura B

12. En la fotosíntesis,

    a) ¿cuáles son los productos al principio? _____

       y _____

    b) ¿cuáles son los productos al final? _____ y _____

13. En la respiración,

    a) ¿cuáles son los productos al principio? _____ y _____

    b) ¿cuáles son los productos al final? _____ y _____

14. **a)** ¿Se necesita energía para que suceda la fotosíntesis? _____

    b) ¿Produce energía la respiración? _____

15. La fotosíntesis y la respiración son reacciones _____ .

    iguales, contrarias

Este diagrama enseña cómo sucede la fotosíntesis. Cuando las plantas verdes están expuestas a la luz solar, sucede este proceso:

agua más dióxido de carbono **producen** glucosa y oxígeno.

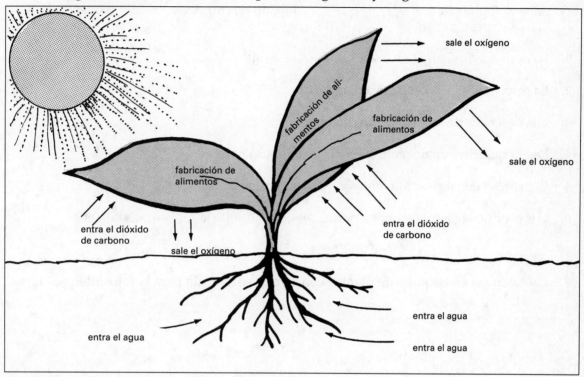

Figura C

Mira la Figura C y luego contesta las siguientes preguntas acerca de la fotosíntesis.

1. ¿Sucede la fotosíntesis en las hojas o en las raíces? _____

2. ¿Cuáles son dos materiales que una planta tiene que absorber para la fotosíntesis?

   _____

3. ¿Qué más se necesita para la fotosíntesis? _____

4. ¿De dónde viene el gas de dióxido de carbono? _____

5. ¿Cuáles son las dos cosas que la fotosíntesis produce? _____

6. ¿Qué fabrica una planta como alimentos? _____

7. ¿Por dónde entra el agua en una planta? _____

8. ¿Por dónde entra el dióxido de carbono en una planta? _____

9. ¿Por dónde sale el oxígeno de una planta? _____

10. ¿Qué seres vivos utilizan el oxígeno? _____

Completa cada oración con una palabra o una frase de la lista de abajo. Escribe tus respuestas en los espacios en blanco. Algunas palabras pueden usarse más de una vez.

clorofila	procesos de vida	fotosíntesis
glucosa	dióxido de carbono	oxígeno
respiración	agua	

1. La emisión de energía en los seres vivos se llama la _____ .

2. La respiración mezcla el azúcar simple de _____ con el gas de _____ .

3. Los desechos de la respiración son el _____ y el _____ .

4. La energía emitida durante la respiración se usa para los _____ .

5. El proceso de fabricar alimentos de las plantas se llama la _____ .

6. Los productos que se mezclan químicamente durante la fotosíntesis son el

   _____ y el _____ .

7. La sustancia en las hojas de plantas verdes que se necesita para la fotosíntesis es la

   _____ .

AMPLÍA TUS CONOCIMIENTOS

Figura D *La fotosíntesis*

1. Una planta fabrica sus propios alimentos (la glucosa). Las plantas también fabrican la glucosa, el agua y los minerales. ¿Cómo consigue los minerales una planta?

   _____

2. Las algas tienen clorofila y llevan a cabo la fotosíntesis. ¿Cómo consiguen alimentos las algas? (Pista: Puedes referirte a la Lección 22 si necesitas ayuda.)

   _____

¿Cuáles son las partes de una flor?

27

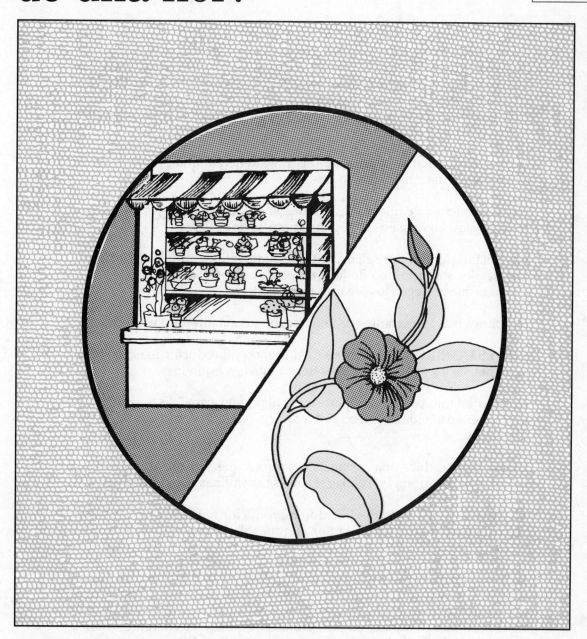

antera: estructura de una flor que produce los granitos de polen
incompleta: flor que tiene sólo pistilos o sólo estambres
óvulo: estructura pequeña en que se desarrollan las ovocélulas en una flor
completa: flor que tiene tanto pistilos como estambres
pistilo: órgano reproductor femenino de una flor
estambre: órgano reproductor masculino de una flor

¿Has visitado alguna vez un jardín botánico? Un jardín botánico es un lugar donde puedes ver muchas clases diferentes de plantas y muchas flores hermosas. No todas las plantas tienen flores. Pero en las que sí las tienen, la flor es el órgano de la reproducción sexual. Una flor produce las células sexuales, o sea, los gametos, de una planta. Los gametos masculinos y femeninos se unen para producir semillas. De cada semilla puede nacer una planta nueva.

Vamos a examinar las partes de una flor. Refiérete a la Figura A de la siguiente página a medida que leas.

La parte inferior de una flor está rodeada de hojas especiales que se llaman sépalos. Los sépalos protegen el capullo de la flor.

Los pétalos de una flor se encuentran justamente dentro de los sépalos. Los pétalos son otro tipo de hoja especial. Los pétalos son las hojas coloreadas que protegen los órganos reproductores.

Las partes más importantes de una flor son los **estambres** y el **pistilo.**

LOS ESTAMBRES El estambre es el órgano reproductor masculino de la planta. La mayoría de las flores tienen muchos estambres.

Un solo estambre tiene dos partes: un filamento parecido a un hilito y una **antera** parecida a un botón. La antera está en la parte superior del filamento.

Una antera produce una sustancia polvorosa que se llama el polen. Los granitos de polen son las células sexuales masculinas de una planta.

EL PISTILO El pistilo es el órgano reproductor femenino de la planta. Se encuentra en el centro de la flor. Algunas flores tienen más de un pistilo.

La parte inferior de un pistilo está hinchada. Este abultamiento es el ovario. Un ovario contiene uno o más **óvulos.** Cada óvulo tiene una ovocélula. Las ovocélulas son las células sexuales femeninas. La fecundación de una ovocélula por un granito de polen sucede en el óvulo. Una ovocélula fecundada llega a ser una semilla. ¿Qué producirá una semilla?

Examina la Figura A. Luego, llena los espacios en blanco.

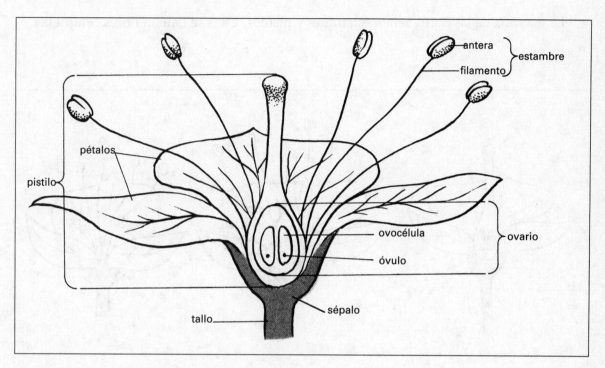

Figura A

1. Nombra el órgano reproductor masculino de una planta. _____

2. Nombra el órgano reproductor femenino de una planta. _____

3. El _____ produce el polen.

4. El _____ produce las ovocélulas.

5. ¿Cuántos estambres tiene esta flor? _____

6. **a)** Nombra las partes de un estambre. _____ _____

   b) ¿Qué parte del estambre produce el polen? _____

7. ¿Cómo se llama la parte hinchada de un pistilo? _____

8. **a)** ¿Cuántos óvulos hay en este ovario? _____

   b) ¿Cuántas ovocélulas hay en cada óvulo? _____

9. ¿Qué hacen los sépalos? _____

10. ¿Cómo se llaman las hojas de una flor especiales y llenas de color? _____

- Algunas flores solamente tienen estambres. Son flores <u>masculinas</u> o <u>estaminíferas</u>.

- Algunas flores solamente tienen pistilos. Son flores <u>femeninas</u> o <u>poliginias</u>.

- Una flor que solamente tiene pistilos o estambres es una flor **incompleta.**

- La mayoría de las flores tienen estambres y pistilos. Éstas se llaman flores **completas.**

Figura B

Examina las flores de la Figura B. Luego, contesta las preguntas al escribir la letra correcta en los espacios en blanco.

1. ¿Cuál es una flor estaminífera? _____

2. ¿Cuál es una flor poliginia? _____

3. ¿Cuál es una flor completa? _____

4. ¿Cuál de las flores sólo produce el polen? _____

5. ¿Cuál de las flores sólo produce las ovocélulas? _____

6. ¿Cuál de las flores produce tanto el polen como las ovocélulas? _____

7. ¿Qué flores son flores incompletas? _____

8. Mira la flor completa. Los estambres son _____ que el pistilo.
   más altos, más bajos

9. ¿Qué flor(es) tiene(n) sépalos? _____

10. ¿Qué flor(es) tiene(n) pétalos? _____

184

COMPLETA LA ORACIÓN

Completa cada oración con una palabra o una frase de la lista de abajo. Escribe tus respuestas en los espacios en blanco. Algunas palabras pueden usarse más de una vez.

estambres	antera	ovocélula
ovario	semilla	óvulos
células sexuales	pistilo	gametos

1. Una célula sexual femenina se llama una _____ .

2. Los granitos de polen son las _____ masculinas de una planta.

3. Las células sexuales también se llaman _____ .

4. La parte masculina de una planta está formada por varios _____ .

5. La parte de un estambre que produce el polen es la _____ .

6. La parte femenina entera de la planta es el _____ .

7. La parte hinchada del pistilo es el _____ .

8. Un ovario tiene partes especiales que se llaman _____ .

9. Un óvulo contiene una sola _____ .

10. Una ovocélula fecundada de una planta llega a ser una _____ .

HACER CORRESPONDENCIAS

Empareja cada término de la Columna A con su descripción en la Columna B. Escribe la letra correcta en el espacio en blanco.

Columna A	Columna B
_____ 1. la ovocélula	a) células sexuales masculinas de una planta
_____ 2. granitos de polen	b) hojas especiales
_____ 3. los sépalos	c) parte femenina de la planta donde sucede la fecundación
_____ 4. el óvulo	d) célula sexual femenina
_____ 5. la antera	e) tienen estambres y un pistilo
_____ 6. una flor incompleta	f) produce el polen
_____ 7. una flor	g) órgano reproductor de una planta
_____ 8. las flores completas	h) sólo tiene un pistilo o estambres

Escribe los nombres de las partes de la flor de la Figura C. Escríbelos en los espacios correspondientes. Escoge de las siguientes palabras:

pistilo   sépalo   ovario
antera   óvulo   estambre
pétalos   filamento   ovocélula

Figura C

CIERTO O FALSO

En los espacios en blanco, escribe "Cierto" si la oración es cierta. Escribe "Falso" si la oración es falsa.

_____ 1. Una flor es un órgano de la reproducción sexual.

_____ 2. Todas las plantas se reproducen sexualmente.

_____ 3. Hay plantas femeninas y plantas masculinas.

_____ 4. Algunas plantas son masculinas y femeninas.

_____ 5. Las partes más importantes de una flor son los estambres y el pistilo.

_____ 6. Los estambres son las partes femeninas.

_____ 7. Los estambres producen las ovocélulas.

_____ 8. Un ovario tiene por lo menos un óvulo.

_____ 9. Un óvulo tiene muchas ovocélulas.

_____ 10. Una ovocélula fecundada llega a ser una semilla.

¿Cómo sucede la polinización?

polinización cruzada: cuando el polen se lleva del estambre de una flor de una planta al pistilo de una flor de otra planta <u>diferente</u>

polen: célula reproductora masculina de una planta

polinización: movimiento de polen desde un estambre a un pistilo

polinización directa: cuando el polen se lleva del estambre de una flor de una planta al pistilo de otra flor de la <u>misma</u> planta

LECCIÓN 28 | ¿Cómo sucede la polinización?

Antes de que un granito de polen pueda fecundar una ovocélula, el polen tiene que moverse desde un estambre a un pistilo. El movimiento del polen desde un estambre a un pistilo se llama la **polinización.**

Hay dos clases de polinización: la **polinización directa** y la **polinización cruzada.**

LA POLINIZACIÓN DIRECTA sucede en las flores <u>completas</u>. Una flor completa tiene estambres y un pistilo. La polinización directa sucede cuando el polen de un estambre llega al pistilo de la misma flor. La polinización directa también sucede cuando el polen de una flor se lleva al pistilo de otra flor de la <u>misma</u> planta.

LA POLINIZACIÓN CRUZADA es el transporte del polen de un estambre de una flor de una planta al pistilo de una flor de otra planta. Las flores incompletas <u>sólo</u> se polinizan por medio de la polinización cruzada. Una planta masculina no puede polinizar a sí misma. No tiene pistilo. Una planta femenina no produce el polen. Tiene que conseguir el polen de alguna otra planta. Las flores completas también pueden reproducirse mediante la polinización cruzada. Una flor completa puede dar el polen a otra planta o recibirlo de otra planta.

¿Qué transporta el polen de una planta a otra? Hay dos medios principales de transporte: el viento y los insectos.

El viento El polen es como un polvo fino. Tiene peso liviano. El viento puede llevar el polen de la antera de una flor al pistilo de otra flor de la misma planta. O, el viento puede llevar el polen a los pistilos de la misma especie de flor que está muy lejos. Por ejemplo, el viento ayuda a polinizar las plantas de maíz.

Los insectos Las flores atraen a los insectos por su olor agradable y sus colores brillantes. Los insectos también vienen a las flores para alimentarse de un líquido dulce que se llama néctar.

Los insectos buscan el néctar dentro de los pétalos de las flores. A medida que busquen, algo del polen se pega a los cuerpos. Luego, los insectos pueden ir a otras flores. Allí, el polen puede rozar a los otros pistilos, llegando a pegarse a ellos.

Algunos insectos que llevan el polen son las moscas, los zancudos, las mariposas, las polillas y las abejas. Las abejas son los insectos más importantes. En realidad, se "emplean" las abejas para polinizar los frutales. Los colibríes y los murciélagos polinizan algunas flores también. Y a veces, el agua transporta el polen.

Figura A *La polinización directa*

A veces la gravedad hace la labor de la polinización directa. El polen de los estambres simplemente se cae encima del pistilo de la misma flor.

Figura B *La polinización directa*

La polinización directa también sucede cuando el polen de una flor se transporta al pistilo de otra flor de la misma planta.

Figura C *La polinización cruzada de flores incompletas*

En la polinización cruzada, el polen de una flor de una planta se transporta a un pistilo de otra planta.

Figura D *La polinización cruzada de flores completas*

La polinización cruzada también sucede cuando el polen de una flor completa se transporta al pistilo de una flor completa de otra planta.

Figura E

El viento transporta el polen de los estambres de una planta de maíz al pistilo. Las barbas de maíz son en realidad la parte femenina.

Figura F

Las polillas y las mariposas llevan el polen de una planta a otra —hasta los cactos.

Figura G

Los insectos ven colores que las personas no pueden ver. Algunas flores tienen un "blanco" de colores que nosotros no podemos ver.

Figura H

Los insectos no ven el color rojo. Para ellos, se ve negro. La mayoría de las flores rojas las polinizan las aves.

Figura I

Examina las cuatro flores de la Figura I. Luego, contesta las preguntas de abajo al escribir la letra correcta en el espacio correspondiente.

1. ¿Cuál de las flores solamente produce el polen? _____

2. ¿Cuál de las flores solamente produce las ovocélulas? _____

3. ¿Cuáles de las flores pueden polinizarse directamente? _____

4. ¿Cuál de las flores no puede polinizar a ninguna otra flor? _____

5. ¿La flor **b** puede polinizar a cuáles de las flores? _____

6. ¿La flor **d** puede polinizar a cuáles de las flores? _____

7. ¿La flor **a** puede polinizar a cuál de las flores? _____

8. ¿En cuáles de las plantas puede suceder la fecundación? _____

Dibuja flechas en la Figura I para mostrar todas las maneras en que estas flores pueden polinizarse.

HACER CORRESPONDENCIAS

Empareja cada término de la Columna A con su descripción en la Columna B. Escribe la letra correcta en el espacio en blanco.

Columna A	Columna B
_____ 1. el néctar	**a)** polinizan la mayoría de las flores rojas
_____ 2. las aves	**b)** sólo tienen pistilos o estambres
_____ 3. las flores completas	**c)** son los más importantes para transportar el polen
_____ 4. las flores incompletas	**d)** líquido dulce
_____ 5. las abejas	**e)** tienen estambres y pistilos

Completa cada oración con una palabra o una frase de la lista de abajo. Escribe tus respuestas en los espacios en blanco. Algunas palabras pueden usarse más de una vez.

polinización directa	néctar	insectos
viento	olor	estambre
pistilo	polinización cruzada	polinización
colores		

1. Las plantas de maíz generalmente reciben ayuda del _____ para polinizarse.

2. La parte masculina de una planta es el _____ .

3. La parte femenina de una planta es el _____ .

4. Los insectos van a las flores para alimentarse del _____ .

5. El movimiento del polen de cualquier estambre a cualquier pistilo se llama la _____ .

6. Las dos clases de polinización son la _____ y la _____ .

7. La polinización de un pistilo por el polen de la misma flor se llama la _____ .

8. La polinización de un pistilo de una planta por el polen de otra planta diferente se llama la _____ .

9. Los medios más importantes para transportar el polen son el _____ y las _____ .

10. Las flores atraen los insectos por su _____ agradable y sus _____ .

A continuación hay varias palabras revueltas que has usado en esta lección. Pon las letras en orden y escribe tus respuestas en los espacios en blanco.

1. NAZILOCIPIÓN   _____

2. DRAUZCA   _____

3. TIVONE   _____

4. NISOSETC   _____

5. LOISTIP   _____

¿Cómo sucede la fecundación?

embrión: planta en desarrollo
endospermo: tejido que encierra la planta en desarrollo y que le proporciona alimento
semilla: estructura que contiene una planta en desarrollo y la alimentación para que crezca
estigma: parte superior del pistilo

LECCIÓN 29 | ¿Cómo sucede la fecundación?

Un granito de polen acaba de caerse encima del pistilo de una flor. Un granito de polen no puede moverse por sí solo. ¿Cómo llegaría hasta el ovario para fecundar la ovocélula? El proceso es muy interesante. Refiérete a las Figuras de A a D de la página siguiente a medida que leas sobre cómo el granito de polen llega al ovario.

- La parte superior de un pistilo tiene una superficie pegajosa que se llama el **estigma.** Un granito de polen se pega al estigma cuando se e cae encima.

- El núcleo del granito de polen se divide en tres partes: un núcleo tubular y dos núcleos espermatozoides.

LO QUE HACE EL NÚCLEO TUBULAR

- El núcleo tubular <u>disuelve</u> el material que está por adelante. En realidad, <u>se digiere</u> el camino hasta el ovario. Así, prepara el camino para los dos núcleos espermatozoides.

- Los dos núcleos espermatozoides ahora pueden bajarse libremente por el tubo. Primero, entran en el ovario. Luego, entran en el óvulo donde se encuentra la ovocélula.

LO QUE HACEN LOS NÚCLEOS ESPERMATOZOIDES

- Un núcleo espermatozoide fecunda una ovocélula. La ovocélula fecundada se llama un **embrión.** El embrión puede llegar a ser una nueva planta.

- El segundo núcleo espermatozoide se une con el resto del óvulo que contiene la ovocélula. Juntos, llegan a ser la alimentación para el embrión cuando éste empieza a crecer. La alimentación almacenada se llama el **endospermo.**

Una piel protectora fuerte como cáscara rodea al endospermo y embrión. La parte externa de la pared del óvulo llega a ser la piel. El embrión, el endospermo y la piel dura, juntos, forman una **semilla.**

Una semilla no necesariamente empieza a crecer de inmediato. Puede quedarse inactiva o latente por mucho tiempo. Algo que está latente está en un estado durmiente.

Cuando las condiciones sean propicias, la semilla "se despierta". Va a brotar y empezar a crecer. Durante este período, el embrión utiliza la alimentación almacenada del endospermo. Cuando las primeras hojas se le salen de la plantita, se agota el endospermo. Luego, la planta fabrica sus propios alimentos.

Figura A *Un granito de polen se cae encima de un estigma.*

Figura B *El tubo del polen crece bajándose por el pistilo.*

Figura C *Los núcleos espermatozoides entran en el ovario.*

Figura D *Una célula de espermatozoide fecunda la ovocélula. La otra se une al resto del óvulo y llega a formar el endospermo.*

El embrión y el endospermo están encerrados en una piel protectora.

El embrión, el endospermo y la piel forman una semilla.

Figura E *Las partes de una semilla*

Una semilla desarrollada se quedará latente o inactiva hasta que se siembre.

Con la humedad, la tierra, el oxígeno y la temperatura propicios, la semilla brotará. Crecerá hasta llegar a ser una nueva planta.

Figura F

Figura G *De la semilla a la planta*

El embrión creciente se alimenta del endospermo hasta que eche hojas verdes. Luego, la planta puede fabricar sus propios alimentos. No importa cómo colocas la semilla en la tierra al sembrarla, el tallo y las hojas crecerán hacia arriba y las raíces crecerán hacia abajo.

Contesta las siguientes preguntas.

1. ¿Cuándo deja de alimentarse del endospermo un embrión? _____

_____

2. ¿Cuáles son las tres partes de una semilla? _____

¿QUÉ MUESTRA EL DIAGRAMA?

¿Puedes identificar las partes de una semilla?

Mira la Figura H. Identifica cada parte al escribir las letras correspondientes en los espacios en blanco.

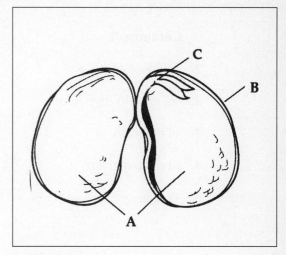

_____   **1.** endospermo

_____   **2.** piel protectora

_____   **3.** embrión

Figura H

COMPLETA LA ORACIÓN

Completa cada oración con una palabra o una frase de la lista de abajo. Escribe tus respuestas en los espacios en blanco.

latente	alimentos	estigma
fecundación	embrión	endospermo
granito de polen	piel protectora	semilla
ovario y óvulo		

1. En las plantas, el gameto masculino es el _____ .

2. La parte superior del pistilo, el _____ , tiene una superficie pegajosa.

3. El granito de polen se mueve hacia abajo hasta entrar en el _____ .

4. Cuando se unen el espermatozoide y la ovocélula, sucede la _____ .

5. La ovocélula fecundada llega a ser un _____ .

6. La alimentación almacenada en una semilla se llama el _____ .

7. Una _____ encierra al embrión y el alimento almacenado.

8. El embrión, el endospermo y la piel protectora forman la _____ .

9. Si una semilla no se brota de inmediato, se queda _____ .

10. El embrión utiliza el endospermo hasta que pueda fabricar sus propios _____ .

Empareja cada término de la Columna A con su descripción en la Columna B. Escribe la letra correcta en el espacio en blanco.

Columna A	Columna B
_____ **1.** la ovocélula	**a)** organismo joven
_____ **2.** el granito de polen	**b)** gameto masculino de una planta
_____ **3.** el embrión	**c)** alimentos para el embrión de la planta
_____ **4.** el endospermo	**d)** contiene los óvulos
_____ **5.** el ovario	**e)** gameto femenino

CIERTO O FALSO

En los espacios en blanco, escribe "Cierto" si la oración es cierta. Escribe "Falso" si la oración es falsa.

_____ **1.** Los granitos de polen son los gametos masculinos.

_____ **2.** Dos núcleos espermatozoides fecundan una ovocélula.

_____ **3.** Un estigma es la parte superior de un estambre.

_____ **4.** Un estigma es resbaloso.

_____ **5.** Una ovocélula se fecunda en un óvulo.

_____ **6.** Una ovocélula fecundada de una planta llega a ser una semilla.

_____ **7.** El embrión de la planta es una planta de tamaño completo.

_____ **8.** Del endospermo crecen raíces y hojas.

PALABRAS REVUELTAS

A continuación hay varias palabras revueltas que has usado en esta lección. Pon las letras en orden y escribe tus respuestas en los espacios en blanco.

1. IGEMSAT   _____

2. CAÉLUOLVO   _____

3. MEBINRÓ   _____

4. ERCAFUND   _____

5. ERMNEDOOSP   _____

¿Qué es un fruto?

fruto: embrión de planta hinchado con una o más semillas maduras

¿Qué es un fruto?

¿Es verdura o fruta un tomate? La mayoría de las personas dirían que es una verdura. Pero en realidad el tomate es una fruta. Igual que un pimiento. Igual que un pepino. ¿Te sorprende esto?

¿Qué es un fruto? Empecemos con una definición. Un **fruto** es un ovario hinchado con una o más semillas maduras. Los frutos que comemos tal como los da la planta reciben el nombre de frutas.

Has aprendido que el polen entra en un pistilo para fecundar las ovocélulas que están en el ovario. Al fecundarse las ovocélulas, se forman las semillas.

Sucede algo importante a medida que se desarrolla la semilla (o las semillas). El ovario se hincha. Se hincha mucho. En realidad, el ovario puede hincharse hasta llegar a un tamaño centenares o miles de veces más grande que su tamaño original. El ovario grande tiene unas funciones importantes:

• Protege su semilla (o sus semillas) contra los insectos, las enfermedades y la intemperie.

• Ayuda a transportar las semillas a lugares donde pueden crecer.

El ovario grande y sus semillas se llama un fruto. Ya que algunas frutas tienen buen sabor, se las comen las personas y los animales. Hay otras frutas que no son buenas para comer. Hasta algunas son venenosas.

Así que, volvamos a la pregunta con que empezamos: ¿Es verdura o fruta un tomate? Un tomate es un ovario madurado con sus semillas. También lo es un pimiento y un pepino. Todos son frutas. Una verdura es cualquier otra parte de la planta que se puede comer.

Un ciruelo tiene flores en la primavera. Luego, se le crecen los frutos.

En las Figuras de A a D, se ve cómo se desarrolla la fruta del ciruelo. (Otras frutas se desarrollan de maneras semejantes.)

Contesta las preguntas después de examinar los diagramas y leer las explicaciones.

Figura A

Cada flor del ciruelo tiene un óvulo. Dentro del óvulo está una ovocélula. Un solo núcleo del polen fecunda el núcleo de la ovocélula.

1. ¿Puede polinizar a sí misma una flor del ciruelo?_____

2. ¿Cómo lo sabes? _____
_____

3. ¿En qué parte de la flor se encuentra el óvulo? _____

Figura B

Dentro del ovario, la ovocélula fecundada se divide una y otra vez. Se está formando un embrión de la planta, junto con su endospermo.

4. ¿Cómo se llama un embrión de la planta y su endospermo? _____

5. ¿Qué le pasa al ovario a medida que se desarrolla la semilla? _____
_____

6. ¿Qué sucede a los pétalos poco después de la fecundación? _____
_____

Figura C

La semilla sigue desarrollándose. El ovario sigue hinchándose.

7. Los estambres y el pistilo todavía están en la planta. ¿Puedes hallarlos? Dibuja una flecha para indicar dónde están. Marque la flecha con una etiqueta.

8. ¿Qué crees que les va a pasar a los

   estambres y al pistilo? _____

   _____

   _____

Figura D

El ovario se hincha aún más. Las semillas se ponen maduras.

9. ¿Cómo se llama el ovario hinchado de

   una planta con su semilla (o sus semi-

   llas)? _____

10. ¿Qué ha pasado con los estambres y

    el pistilo? _____

    _____

¿CUÁNTAS SEMILLAS TIENE UN FRUTO?

El número de semillas depende

- del número de óvulos (ovocélulas) que hay en el ovario.
- del número de ovocélulas que se fecundan y
- del número de ovocélulas fecundadas que crecen bien.

IMPORTANTE   NO TODAS LAS OVOCÉLULAS SE FECUNDAN.

NO TODAS LAS OVOCÉLULAS FECUNDADAS LLEGAN
A SER SEMILLAS.

Figura E   *Una flor del manzano, mostrando
el ovario con sus seis óvulos.*

Figura F   *Los óvulos produjeron un fruto con
cinco semillas.*

Un ovario que tiene seis óvulos puede llegar a ser un fruto con seis semillas. Puede tener
menos de seis semillas, pero no puede tener más de seis.

Figura G

Contesta estas preguntas.

1.   Mira de nuevo la Figura D. ¿Cuántas

semillas tiene una ciruela? _____

2.   Mira de nuevo la Figura A. ¿Cuántos
óvulos tiene el ovario de una flor del

ciruelo?_____

¿Qué crees?

3.   **a)** ¿Cuál tiene más óvulos, el ovario de
una ciruela o el ovario de una

sandía? _____

b) ¿Cómo lo sabes? _____

_____

_____

Hay cuatro tipos de frutas. Dos de estos tipos son frutas carnosas y frutas secas.

- Los ovarios de frutas carnosas se llenan de agua y de material alimenticio. Son frutas "jugosas".

- Los ovarios de frutas secas no se llenan de agua. No son frutas jugosas. Algunas son muy duras.

Se enseñan varias frutas en la Figura H. Algunas son carnosas. Otras son secas. Algunas tienen muchas semillas. Otras tienen sólo una semilla. Examina las frutas. Luego, completa la tabla de la página 205.

Escoge los nombres de las frutas de la siguiente lista:

manzana	naranja	nuez del nogal
pera	guisante	bellota
durazno	cacahuate	

Figura H

	Nombre de la fruta	¿Carnosa o seca?	¿Cuántas semillas?
1.			
2.			
3.			
4.			
5.			
6.			
7.			
8.			

COMPLETA LA ORACIÓN

Completa cada oración con una palabra o una frase de la lista de abajo. Escribe tus respuestas en los espacios en blanco.

carnosas	bellota	secas
pistilo	hincharse	ovario
germinar	ovocélula	fruto
durazno	granito del polen	

1. Toda la parte femenina de una flor se llama el _____ .

2. La parte del pistilo en que se encuentran los óvulos es el _____ .

3. Un óvulo produce una _____ .

4. Se fecunda el núcleo de la ovocélula por un solo núcleo del _____ .

5. Cuando se fecunda una ovocélula, su ovario empieza a _____ .

6. Se refiere al ovario hinchado de la planta, junto con sus semillas maduras, como un

   _____ .

7. Un fruto está maduro cuando sus semillas pueden _____ .

8. Dos tipos de frutas son las frutas _____ y las frutas _____ .

9. Un ejemplo de una fruta seca es la _____ .

10. Un ejemplo de una fruta carnosa es el _____ .

Empareja cada término de la Columna A con su descripción en la Columna B. Escribe la letra correcta en el espacio en blanco.

	Columna A		Columna B
_____	**1.** un fruto	**a)**	funciones de un fruto
_____	**2.** proteger y ayudar a dispersar las semillas	**b)**	tipos de frutas
_____	**3.** secas y carnosas	**c)**	gameto masculino
_____	**4.** la ovocélula	**d)**	gameto femenino
_____	**5.** el espermatozoide o polen	**e)**	"envase de semillas" de la naturaleza

AMPLÍA TUS CONOCIMIENTOS

En estos días puedes comprar algunas frutas que no existían antes. Son "combinaciones" de dos frutas diferentes pero relacionadas o emparentadas.

Por ejemplo, un "tangelo" es parte mandarina y parte pomelo (toronja).

Las personas ayudan a la naturaleza a crear esta fruta. ¿Cómo crees que lo hacen? _____

_____

_____

_____

Figura I

¿Cómo se dispersan las semillas?

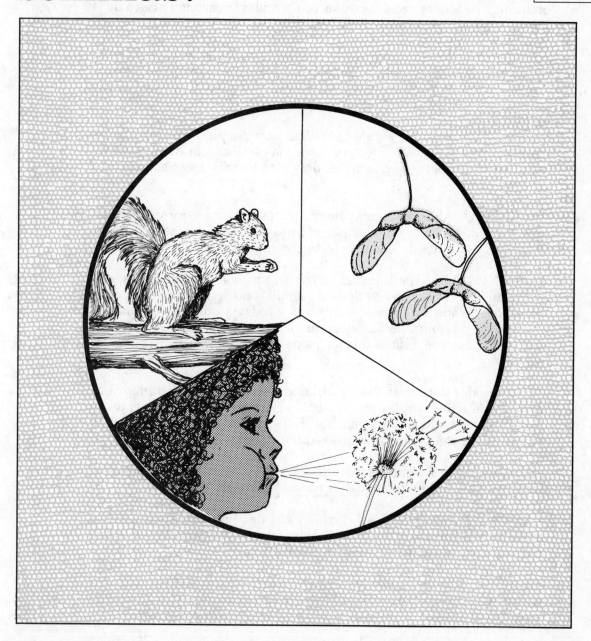

dispersión de semillas: esparcimiento de semillas en diferentes direcciones

LECCIÓN 31 | ¿Cómo se dispersan las semillas?

¿Has oído decir alguna vez que "la manzana no se cae muy lejos del manzano"? Algunas veces las frutas con semillas se caen muy cerca de la planta madre.

¿Puedes imaginarte lo que pasaría si todas las semillas se cayeran cerca de su planta madre? Habría demasiadas plantas creciendo en un solo lugar. Dentro de poco no habría suficiente tierra, agua, oxígeno ni luz para todas. Sólo unas pocas podrían sobrevivir.

Se necesita el esparcimiento de semillas para asegurar que las plantas sobrevivan. Este esparcimiento de semillas se llama la **dispersión de semillas**. Se dispersan las semillas de varias formas. Éstas son las más importantes:

EL VIENTO Algunas plantas tienen frutos livianos y formados para que el viento los lleve. Por ejemplo, el fruto de los arces tiene "alas". Los frutos de los dientes de león tienen copetes como paracaídas.

LOS ANIMALES Los animales se comen muchos tipos de frutas, con las semillas y todo. Muchos tipos de semillas no se transforman por la digestión. Se quedan "sanos" e íntegros y todavía pueden germinar. A medida que los animales se vayan de un lugar a otro, expelen las semillas como desechos. Ésta es una forma en que los animales dispersan las semillas.

Los animales dispersan las semillas de otras formas también. Las cortezas de algunas frutas tienen partes pegajosas. Por ejemplo, el cardo ajonjero tiene espinas como ganchos. Estos cardos se pegan a la piel de animales que van pasando. Luego, se caen en otro lugar.

Algunos animales, como las ardillas, se llevan y entierran nueces para el invierno. Más tarde, algunas de las nueces germinan.

LAS PARTES EXPLOSIVAS Los ovarios de algunas frutas, como la amapola y el guisante, "se estallan" al madurarse. Las semillas salen disparadas y se caen a una distancia de la planta.

EL AGUA Algunos frutos que crecen cerca del agua pueden flotar. Al caerse las frutas en el agua, las corrientes las llevan a lugares de terreno muy lejos. Las semillas del coco y del loto se dispersan por el agua.

Examina las Figuras de A a G y contesta las preguntas acerca de cada dibujo.

semillas del algodoncillo

Figura A

Las frutas de arce, algodoncillo y diente de león tienen "ayudantes" que los ayudan a volar. ¿Por qué no necesitan "ayudantes" las frutas muy pequeñas?

Figura B

Este pájaro se come bayas, con semillas y todo. ¿Qué pasará a las semillas?

Figura C

Con tiempo, ¿qué pasará con estos frutos del cardo ajonjero que están pegados a este perro?

Figura D

¿Qué les pasará a las semillas de bellota que tiene la ardilla?

Cuando la vaina de los guisantes se seca, se tuerce. La vaina se rompe repentinamente. Los guisantes salen disparados.

Figura E

Figura F

Estas frutas "disparan" sus semillas al aire también.

Figura G

Los cocos son más livianos que el agua. ¿Cómo les ayuda su peso a dispersar las semillas?

COMPLETA LA ORACIÓN

Completa cada oración con una palabra o una frase de la lista de abajo. Escribe tus respuestas en los espacios en blanco.

dispersión de semillas	oxígeno	cardo ajonjero
"se estalla"	tierra	luz del sol
viento	entierran	agua
germinar	dientes de león	arces
digestión	corrientes de agua	sobrevivir

1. Demasiadas plantas no pueden crecer en un lugar pequeño porque les faltan suficiente

   _____ , _____ , _____ y _____ .

2. El esparcimiento de semillas se llama la _____ .

3. El _____ se lleva a muchos tipos de semillas por el aire.

4. Dos plantas con semillas llevadas por el viento son los _____

   y los _____ .

5. El _____ tiene ganchos que se pegan a los animales.

6. Muchos tipos de semillas no están dañadas por la _____ .

7. Una vaina de guisantes _____ cuando se madura para dispersar sus semillas.

8. A veces las ardillas _____ las nueces. Algunas pueden _____ .

9. Se dispersan las semillas de cocos por grandes distancias por medio de

   _____ .

10. La dispersión de semillas es necesaria para ayudar a las plantas a _____ .

HACER CORRESPONDENCIAS

Empareja cada término de la Columna A con su descripción en la Columna B. Escribe la letra correcta en el espacio en blanco.

Columna A	Columna B
_____ 1. la dispersión de semillas	a) dispersadas por el agua
_____ 2. las semillas de cocos	b) no daña muchos tipos de semillas
_____ 3. las semillas de diente de león	c) dispersadas por el viento
_____ 4. las ardillas	d) cualquier esparcimiento de semillas
_____ 5. la digestión	e) ayudan a dispersar las bellotas

211

A continuación hay varias palabras revueltas que has usado en esta lección. Pon las letras en orden y escribe tus respuestas en los espacios en blanco.

1. UAGA _____

2. LLETARAS _____

3. EMALSINA _____

4. SÓPNISIDRE _____

5. ITNOVE _____

AMPLÍA TUS CONOCIMIENTOS

Figura H

Muchas especies de plantas producen muchas semillas más de lo necesario para asegurar

la supervivencia de la especie. ¿Por qué se producen tantas semillas? _____

_____

_____

¿Qué son tropismos?

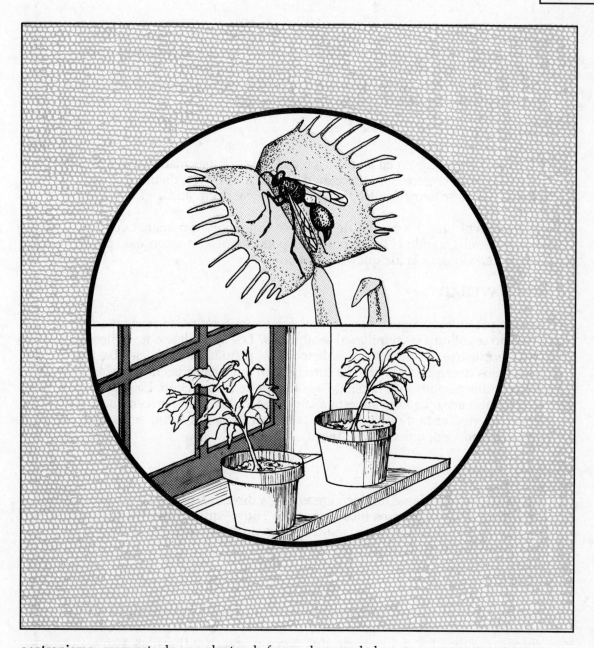

geotropismo: respuesta de una planta a la fuerza de gravedad
hidrotropismo: respuesta de una planta al agua
fototropismo: respuesta de una planta a la luz
tropismo táctil: respuesta de una planta al tacto
tropismo: respuesta de plantas a los estímulos

LECCIÓN 32 | ¿Qué son los tropismos?

Las plantas no se mueven de un lugar a otro como los animales. Sin embargo, todas las plantas responden a estímulos. Un estímulo es un cambio en el medio ambiente que provoca una respuesta. Las respuestas de plantas a los estímulos se llaman **tropismos**. Una planta responde a un estímulo al crecer en una dirección determinada.

LA LUZ

Todas las plantas crecen en la dirección de la luz. ¿Te has fijado en que el tallo y las hojas crecen en la dirección del sol? La respuesta de una planta a la luz del sol se llama **fototropismo**. Foto- quiere decir "luz".

En algunas plantas, los pétalos de su flor se abren por las mañanas cuando sale el sol. Cuando el sol se pone, los pétalos vuelven a cerrarse. Los pétalos reaccionan a la luz que viene del sol.

LA GRAVEDAD

¿Te has preguntado alguna vez por qué los agricultores no se preocupan de cómo se colocan las semillas al sembrarlas? Los agricultores no tienen que preocuparse porque las raíces de todas las plantas crecen hacia abajo y los tallos crecen hacia arriba. La dirección en que crecen las raíces y los tallos es una respuesta de la planta a la fuerza de la gravedad. Las raíces crecen hacia abajo como respuesta a la gravedad. Los tallos crecen hacia arriba. La respuesta de una planta a la fuerza de la gravedad se llama **geotropismo**. Geo- quiere decir "tierra".

EL AGUA

Las raíces de una planta también crecen en la dirección del agua. Crecer en la dirección del agua es **hidrotropismo**. Hidro- quiere decir "agua". En la mayoría de las plantas este tropismo no es muy fuerte. Sucede solamente cuando el agua toca las raíces.

EL TACTO

Algunas plantas responden cuando se tocan. Por ejemplo, la mimosa se pliega las hojas cuando se las tocan. Las vides de uvas frecuentemente se enroscan alrededor del palo de una cerca o crecen adheridas a una pared. La respuesta de una planta al tacto se llama el **tropismo táctil**.

Cada dibujo enseña un tipo de tropismo. Averigua cuál de los tropismos se muestra en cada dibujo. Escribe tus respuestas en los espacios en blanco.

Figura A

1. ¿TROPISMO? _____

Figura B

2. ¿TROPISMO? _____

Figura C

3. ¿TROPISMO? _____

Figura D

4. ¿TROPISMO? _____

215

Consigue una planta en maceta.

Coloca la planta cerca de una ventana por la que entra mucha luz del sol.

Coloca la planta de manera que las hojas y/o las flores estén en la dirección contraria a la luz.

Observa la planta cada día por las dos semanas que entran.

Figura E

CONCLUSIONES

1. ¿Qué sucedió con la posición de las hojas y las flores de la planta? _____
   _____

2. ¿Qué tipo de tropismo es? _____

3. ¿Qué significa el prefijo "foto-"? _____

UNA PLANTA RARA

Algunas plantas responden inmediatamente a los estímulos. Cuando un insecto toca las hojas del atrapamoscas, las hojas de la planta se cierran rápidamente con el insecto por dentro. Así, el insecto queda atrapado o apresado en las hojas de la planta.

Luego, la hoja emite sustancias químicas especiales. Las sustancias químicas digieren las partes blandas del insecto. Después de digerir el insecto, las hojas vuelven a abrirse.

Figura F

CIERTO O FALSO

En los espacios en blanco, escribe "Cierto" si la oración es cierta. Escribe "Falso" si la oración es falsa.

_____ 1. La respuesta de una planta a la luz se llama fototropismo.

_____ 2. Los pétalos de una flor se abren cuando sale el sol.

_____ 3. Las raíces de una planta crecen en la dirección contraria a la del agua.

_____ 4. Geo- quiere decir "tierra".

_____ 5. La planta de la mimosa abre las hojas cuando se las toca.

_____ 6. Para la mayoría de las plantas, el hidrotropismo es muy fuerte.

_____ 7. Las raíces crecen hacia abajo como respuesta a la fuerza de la gravedad.

_____ 8. Un atrapamoscas responde inmediatamente al tacto.

_____ 9. La palabra táctil se refiere al agua.

_____ 10. Todas las plantas crecen en la dirección de la luz del sol.

PALABRAS REVUELTAS

A continuación hay varias palabras revueltas que has usado en esta lección. Pon las letras en orden y escribe tus respuestas en los espacios en blanco.

1. AUGA _____

2. POMOTRIS _____

3. ZUL _____

4. ÍRSEAC _____

5. REGADVAD _____

CIENCIA *EXTRA*

Arquitecto de jardines

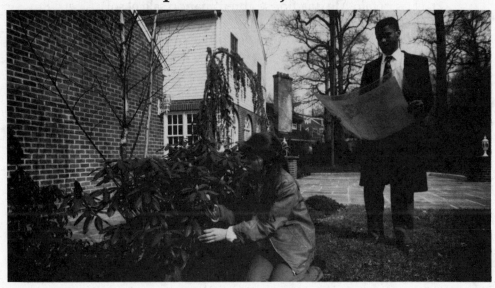

¿Te gusta cultivar plantas y flores? ¿Te interesa una profesión que combina el arte y las ciencias? Si te gusta el trabajo al aire libre y el de adentro, quizá una carrera de arquitecto de jardines te convenga. Ser arquitecto de jardines es sólo una de las carreras en el campo de la horticultura. La horticultura es el estudio de las plantas.

Los arquitectos de jardines diseñan y desarrollan el terreno para el uso de las personas. Se ocupan del medio ambiente y tienen que planificar el uso mejor y más práctico del terreno.

A veces los arquitectos de jardines crean hermosos ambientes al aire libre. Sus proyectos varían. Un arquitecto de jardines puede diseñar todo un parque metropolitano o el plan para un nuevo campo de golf. O puede diseñar algo tan pequeño como el jardín de una sola familia.

También los arquitectos de jardines trabajan dentro de edificios. Diseñan jardines o áreas con plantas dentro de oficinas, centros comerciales y pasillos de hoteles.

Los arquitectos de jardines se ocupan de todas las etapas de la planificación. Estudian el área, el clima, la temperatura, el abastecimiento de agua y la vegetación del área. Luego, seleccionan las plantas o las flores que se cultivarían mejor.

Arquitectos de jardines interiores también pueden trabajar con los arquitectos de edificios. Juntos, elaboran diseños que se aprovechen de la luz solar y del agua disponibles.

Para ser arquitecto de jardines, te deben gustar las clases de ciencias, sobre todo la de biología. También ayuda tener habilidades artísticas y buen "ojo" para el diseño. Muchas universidades locales ofrecen programas de dos años de la horticultura. Muchas personas siguen sus estudios para los títulos avanzados.

¿Qué son los invertebrados?

invertebrados: animales sin columnas vertebrales

¿Qué son los invertebrados?

Los animales se encuentran en casi todas partes del mundo. Viven en lugares donde hace muchísimo calor. Viven en lugares donde hace muchísimo frío. Viven en las profundidades del océano y en las montañas altas. Hasta algunos animales viven debajo de la tierra.

Algunos animales son pequeños. Otros, como la ballena y el elefante, son grandes.

Las diferencias entre los animales pueden ser muy grandes. Pero todos los animales se parecen de ciertas formas.

• Los animales consisten en muchas células.

• Las células animales no tienen una pared celular.

• Los animales no fabrican sus propios alimentos. No lo pueden hacer porque no tienen clorofila en sus células. Los animales tienen que buscar alimentos por fuera del cuerpo.

Se clasifícan los animales en dos grupos principales. Un grupo consiste en los animales con columnas vertebrales. El otro grupo consiste en los animales sin columnas vertebrales.

Los animales sin columnas vertebrales se llaman **invertebrados**. La mayoría de los animales son invertebrados. En realidad, los invertebrados forman el 97 por ciento del reino animal. Ejemplos de invertebrados incluyen las esponjas, las medusas, las almejas, las estrellas de mar, los gusanos y los insectos.

NOMBRE COMÚN	EJEMPLOS		CARACTERÍSTICAS IMPORTANTES
ESPONJAS			• cuerpos como bolsas • la mayoría viven adheridas a objetos en el suelo del océano • tienen muchos poros (huecos) por los que fluye el agua
CNIDARIOS	medusas corales hidras		• tienen tentáculos • todos tienen células urticantes • viven en el agua
PLATELMINTOS	tenias trematodos planarios		• cuerpos largos y planos, como cintas • algunos consiguen alimentarse al vivir dentro de otro organismo, absorbiendo los alimentos de ese organismo
ASCÁRIDES	anquilostomas		• cuerpos largos y delgados, como tubos • algunos consiguen alimentarse al vivir dentro de otro organismo, absorbiendo los alimentos de ese organismo
GUSANOS ANÉLIDOS	lombrices sanguijuelas		• cuerpos largos, como tubos, que se dividen en segmentos (secciones) • los organismos más simples con un sistema nervioso bien desarrollado
MOLUSCOS	caracoles almejas calamares		• cuerpos blandos • muchos tienen conchas • la mayoría viven en el océano; algunos viven en el agua dulce y en la tierra
EQUINODERMOS	estrellas de mar erizos de mar holoturias		• generalmente tienen cinco brazos que se extienden de una sección corporal central • tienen un esqueleto interno formado por espinas • viven solamente en el océano
ARTRÓPODOS	arañas langostas ciempiés saltamontes		• tienen patas articuladas • tienen por fuera carapacho duro • tienen cuerpos con segmentos • viven en la tierra y en el agua

¿Qué tienen los vertebrados que no tienen los invertebrados?

Examina las Figuras de A a H y refiérete a la tabla de la página 221. Luego, contesta las preguntas.

Figura A

Figura B

Figura C

Figura D

Figura E

Figura F

Figura G

Figura H

1. ¿Tienen columna vertebral los animales de los dibujos? _____
   sí, no

2. ¿Toman alimentos que vienen por fuera de su cuerpo? _____
   sí, no

3. ¿Están constituidos estos animales por muchas células? _____
   sí, no

4. ¿Hay una pared celular en sus células? _____
   sí, no

5. ¿Contienen clorofila sus células? _____
   sí, no

6. Estos animales son _____.
   vertebrados, invertebrados

7. ¿La mayoría de todos los animales son invertebrados? _____
   sí, no

8. ¿Cuál de los animales ilustrados es el organismo más simple que tiene un sistema

   nervioso bien desarrollado? _____

9. ¿Cuál de los animales es molusco? _____

10. ¿Cuál de los animales tiene patas articuladas? _____

11. ¿Cuál de los animales tiene células urticantes? _____

12. ¿Cuál de los animales tiene el cuerpo largo y plano? _____

13. ¿Cuál de los animales tiene poros? _____

14. ¿Cuál de los animales tiene el cuerpo largo como un tubo que *no* se divide en

    segmentos? _____

15. ¿Cuál de los animales es equinodermo? _____

Los atrópodos forman el filo más grande del reino animal. Además de los insectos, este filo también incluye animales tales como las langostas, las arañas y las garrapatas, los ciempiés y los milpiés.

Lee la tabla a continuación. En esta tabla hay una lista de los grupos principales de artrópodos. También describe sus características importantes.

GRUPO PRINCIPAL	CARACTERÍSTICAS IMPORTANTES
Ciempiés	Los ciempiés tienen cuerpos planos con segmentos. Cada segmento del cuerpo tiene dos patas.
Milpiés	Los milpiés tienen cuerpos redondos con muchos segmentos. Cada segmento del cuerpo, menos los primeros cuatro, tiene cuatro patas.
Crustáceos Incluyen: langostas, camarones, cangrejos y cangrejos de río	Los crustáceos tienen dos partes principales del cuerpo, dos pares de antenas, pinzas grandes y ocho patas. La mayoría de los crustáceos viven en el agua.
Arácnidos Incluyen: arañas, alacranes y garrapatas	Los arácnidos tienen cuerpos en dos secciones y ocho patas.
Insectos	Los insectos tienen cuerpos en tres secciones y seis patas. Algunos insectos tienen alas.

HACER CORRESPONDENCIAS

Empareja cada término de la Columna A con su descripción en la Columna B. Escribe la letra correcta en el espacio en blanco.

Columna A	Columna B
_____ 1. los arácnidos	a) tienen cuerpos en tres secciones
_____ 2. los ciempiés	b) la mayoría viven en el agua
_____ 3. los milpiés	c) tienen cuerpos redondos con muchos segmentos
_____ 4. los insectos	d) incluyen las garrapatas
_____ 5. los crustáceos	e) tienen cuerpos planos con muchos segmentos

CLASIFICA EL ARTRÓPODO

Mira los siguientes dibujos de artrópodos. ¿A qué grupo de artrópodos pertenece cada organismo? Escribe el nombre del grupo en el espacio en blanco debajo de cada dibujo.

Figura I

1. _____

Figura J

2. _____

Figura K

3. _____

Figura L

4. _____

Figura M

5. _____

Figura N

6. _____

Completa la siguiente tabla al escribir una marca en la casilla o las casillas correctas para cada característica.

CARACTERÍSTICA	PLANTAS	ANIMALES
1. organismos vivos		
2. células no tienen clorofila		
3. células no tienen pared celular		
4. fabrican sus propios alimentos		
5. células tienen clorofila		
6. formadas por muchas células		
7. células tienen pared celular		
8. toman alimentos por fuera del cuerpo		
9. la mayoría se mueven de un lugar a otro		
10. llevan a cabo todos los procesos de vida		

CONTESTACIONES MÚLTIPLES

En cada espacio en blanco, escribe la letra de la palabra que mejor termine cada oración.

_____ 1. La mayoría de los animales son

  a) protistas. **b)** vertebrados.

  c) invertebrados. **d)** esponjas.

_____ 2. Ejemplos de invertebrados incluyen

  a) pájaros. **b)** insectos.

  c) conejos. **d)** peces.

_____ 3. Las estrellas de mar pertenecen al mismo grupo de invertebrados que

  a) los erizos de mar. **b)** los saltamontes.

  c) las tenias. **d)** las medusas.

_____ 4. El filo más grande del reino animal es de

  a) las ascárides. **b)** las esponjas.

  c) los moluscos. **d)** los artrópodos.

_____ 5. Los caracoles y las almejas son

  a) esponjas. **b)** planarios.

  c) moluscos. **d)** cnidarios.

¿Cómo se desarrollan los insectos?

34

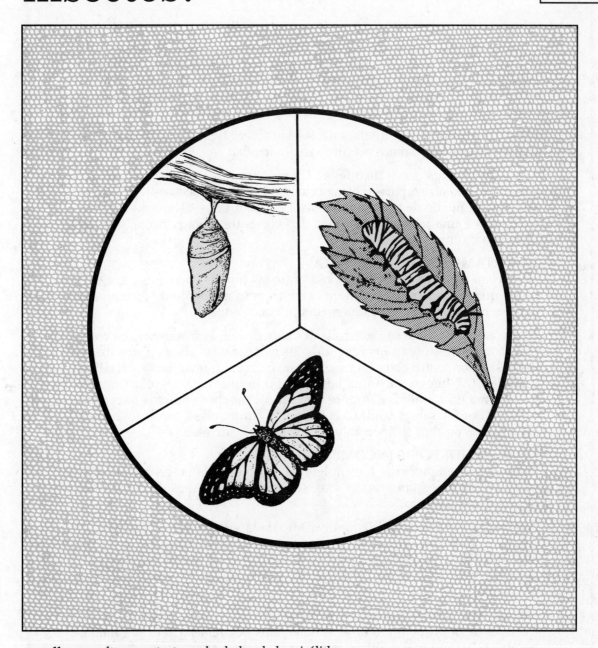

capullo: envoltura protectora alrededor de la crisálida
larva: etapa del desarrollo del insecto en que se parece a un gusano
metamorfosis: cambios durante las etapas de desarrollo de un insecto
ninfa: insecto joven que se parece al adulto
crisálida: etapa latente durante la metamorfosis completa

LECCIÓN 34 | ¿Cómo se desarrollan los insectos?

Sin lugar a dudas, los insectos forman el grupo más grande de los invertebrados. Se han clasificado aproximadamente un millón de especies de insectos hasta la fecha, y cada año los científicos descubren otros miles de especies de insectos. Algunos científicos creen que existen tantas como 10 millones de especies de insectos. Y a cada especie pertenecen miles de millones de insectos. ¿Puedes imaginarte cuántos insectos hay en total?

Has aprendido sobre muchas de las características de insectos en la Lección 33. Ahora aprenderás cómo se desarrollan.

Todos los insectos nacen de huevos. Cuando un insecto sale de su huevo, generalmente no se parece al insecto adulto. Los insectos llegan a ser adultos por medio de la **metamorfosis**. La metamorfosis significa la transformación a una forma nueva. Hay dos clases de metamorfosis: la completa y la incompleta.

LA METAMORFOSIS COMPLETA

¿Has visto alguna vez una mariposa entre las flores? Poco antes, era una oruga que se arrastraba. La oruga cambió completamente de forma para hacerse mariposa. Pasó por una metamorfosis completa.

Algunos insectos que se desarrollan por medio de la metamorfosis completa son las mariposas, los zancudos, las moscas y las abejas. Estos insectos pasan por cuatro etapas a medida que crezcan: huevo, **larva**, **crisálida** y adulta. Del huevo nace una larva (como la oruga). Luego la larva se transforma en crisálida. Durante esta etapa, muchos insectos hacen un **capullo**. Por fin, sale el adulto o el imago. El adulto no se parece en nada a la larva. Los adultos se aparean y el ciclo se repite de nuevo.

LA METAMORFOSIS INCOMPLETA

Durante la metamorfosis incompleta, el cambio de la etapa juvenil a la etapa adulta no es tan grande. Hay solamente tres etapas de desarrollo: huevo, **ninfa** y adulto.

Los saltamontes se desarrollan por medio de la metamorfosis incompleta. De los huevos del saltamontes nacen las ninfas. La **ninfa** es un saltamontes joven. Una ninfa se parece al adulto, pero es más pequeña. Tiene la cabeza grande, pero no tiene alas. Se le salen las alas a medida que la ninfa crezca.

Una ninfa se quita o muda la piel como cinco veces a medida que crezca. Después de la primera muda, se le salen alas pequeñas. Con cada muda, las alas se agrandan. La última muda resulta en un saltmontes adulto con alas completas.

Examina la Figura A. Luego, contesta las preguntas.

LA METAMORFOSIS COMPLETA

Figura A

1. ¿Qué tipo de animal es la mariposa? _____

2. Las mariposas se reproducen por la reproducción _____ .

sexual, asexual

3. ¿Dónde pone los huevos fecundados la mariposa hembra? _____

4. Algunos animales cambian de forma al desarrollarse en adultos. ¿Cómo se llama

    este cambio? _____

5. **a)** ¿Se desarrollan las mariposas por medio de la metamorfosis? _____

    b) ¿Qué tipo de metamorfosis? _____

    c) Escribe las etapas de este desarrollo. _____   _____

    _____   _____

6. ¿Son parecidas la etapa de larva y la de adulto? _____

7. ¿Son parecidas la etapa de crisálida y la de adulto? _____

8. ¿Cómo se llama popularmente la etapa de crisálida de la mariposa? _____

9. ¿Cómo se llama popularmente la etapa de larva de la mariposa? _____

10. Una mariposa muda la piel solamente una vez.

    a) ¿En qué etapa es la muda de la mariposa? _____

    b) ¿Al mudar, en qué se transforma la mariposa? _____

Examina la Figura B. Luego, contesta las preguntas.

LA METAMORFOSIS INCOMPLETA

Figura B

1. ¿Qué tipo de animal es el saltamontes? _____

2. Los saltamontes se reproducen por la reproducción _____ .
   sexual, asexual

3. ¿Dónde pone los huevos fecundados la hembra de saltamontes? _____

4. **a)** ¿Se desarrollan los saltamontes por medio de la metamorfosis? _____

   b) ¿Qué tipo de metamorfosis? _____

   c) Escribe las etapas de la metamorfosis incompleta. _____

   _____   _____

5. ¿Son parecidas la etapa de ninfa y la de adulto? _____

6. Una ninfa es _____ que un adulto.

7. Una ninfa no tiene _____ .

8. Una ninfa tiene una cabeza _____ .
   grande, pequeña

9. Una ninfa se deshace de la piel varias veces. ¿Cuál es una palabra que significa

   "deshacerse" de la piel? _____

10. La ninfa de saltamontes crece de tamaño. ¿Qué le salen al deshacerse de la piel por

    primera vez? _____

COMPLETA LA ORACIÓN

Completa cada oración con una palabra o una frase de la lista de abajo. Escribe tus respuestas en los espacios en blanco.

cabeza	adulto	insectos	completa
no	incompleta	oruga	alas
metamorfosis	capullo	huevos	
muda la piel	ninfas		

1. Durante la etapa de crisálida, muchos insectos hacen un _____.

2. Los insectos nacen de _____.

3. Los insectos cambian de forma a medida que crezcan. Se llama la _____.

4. Huevo, larva, crisálida y adulto son las etapas de la metamorfosis _____.

5. Las etapas de larva y de crisálida _____ se parecen a la etapa adulta.

6. Huevo, ninfa y adulto son las etapas de la metamorfosis _____.

7. Una ninfa se parece al _____.

8. Una ninfa _____ aproximadamente cinco veces.

9. Una ninfa tiene una _____ grande, pero no tiene _____.

10. Los _____ son el grupo más grande de los invertebrados.

11. De los huevos de saltamontes nacen _____.

12. Durante la etapa de larva de la mariposa, el organismo se llama una _____.

HACER CORRESPONDENCIAS

Empareja cada término de la Columna A con su descripción en la Columna B. Escribe la letra correcta en el espacio en blanco.

Columna A	Columna B
_____ 1. mudar	a) la etapa de larva de la mariposa
_____ 2. la oruga	b) saltamontes joven
_____ 3. la ninfa	c) etapas de metamorfosis incompleta
_____ 4. huevo, ninfa, adulto	d) deshacerse de la piel
_____ 5. huevo, larva, crisálida, adulto	e) etapas de metamorfosis completa

COMPLETA LA TABLA

Completa la tabla al escribir la etapa de desarrollo para cada dibujo. Luego, ordena cada etapa en el orden correcto de desarrollo de A a D.

	Etapa	Orden del desarrollo
1.		
2.		
3.		
4.		

PALABRAS REVUELTAS

A continuación hay varias palabras revueltas que has usado en esta lección. Pon las letras en orden y escribe tus respuestas en los espacios en blanco.

1. MORSIFOTEMAS   _____

2. MAPLETCO   _____

3. VARAL   _____

4. LUDATO   _____

5. ANFIN   _____

¿Qué son los vertebrados?

35

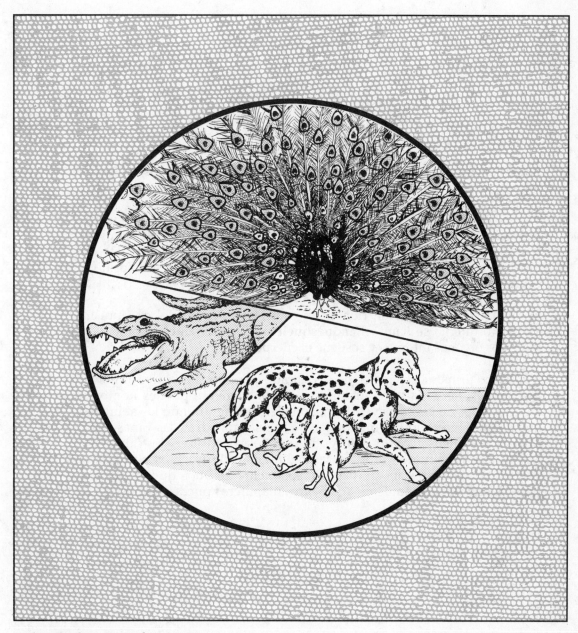

endoesqueleto: esqueleto interno
vértebra: cada uno de los huesos que forman la columna vertebral
vertebrados: animales que tienen columnas vertebrales

¿Qué tienen en común los peces dorados, las ranas, las tortugas, los petirrojos y las personas? Todos son **vertebrados**. Los vertebrados forman uno de los dos grupos principales de animales. ¿Qué es el otro grupo?

Los vertebrados son animales con <u>columnas vertebrales</u>. La columna vertebral protege la <u>médula vertebral</u>. La médula vertebral consiste en muchos nervios. Todos los vertebrados tienen una cuerda nerviosa. La columna vertebral también ayuda a sostener el animal.

Los vertebrados también tienen un esqueleto <u>dentro</u> del cuerpo. El esqueleto interno se llama el **endoesqueleto**. El endoesqueleto protege a todos los órganos internos y sostiene el cuerpo.

Hay cinco grupos principales de vertebrados. Son los peces, los anfibios, los reptiles, las aves y los mamíferos. Probablemente puedes nombrar algunos tipos de peces y aves. Pero, ¿puedes distinguir entre los animales que son anfibios, reptiles o mamíferos? Las salamandras, las ranas y los sapos son anfibios. Dos tipos de reptiles son los cocodrilos y los caimanes. Los dinosaurios fueron reptiles, también. Los canguros, los perros, los gatos, los elefantes y los gorilas son solamente algunos de los muchos tipos diferentes de mamíferos. ¿Qué otros mamíferos puedes nombrar?

Figura A

1. Mira la Figura A. Estos animales son _____ .

   vertebrados, invertebrados

2. ¿Qué tiene cada uno de estos animales a lo largo del centro de la espalda?

   _____

3. La columna vertebral es parte del _____ interno.

4. Se puede clasificar cualquier animal que tiene columna vertebral y un esqueleto interno como un _____ .

   vertebrado, invertebrado

5. La columna vertebral protege la _____ .

AHORA, INTENTA ESTO

Puedes tocar tu columna vertebral.

Para buscar la columna vertebral, pon los dedos en el centro de la espalda y muévelos hacia arriba y hacia abajo. Cada abultamiento que sientes es una **vértebra**. La columna vertebral consiste en huesos pequeños que se llaman vértebras.

¿Por dónde se extiende la columna vertebral?

_____

_____

Figura B

NOMBRE COMÚN	EJEMPLOS	CARACTERÍSTICAS IMPORTANTES
PECES		• viven completamente en el agua • adquieren el oxígeno disuelto en el agua a través de agallas o branquias • son de sangre fría • la mayoría ponen huevos • fecundación externa
ANFIBIOS		• viven parte de la vida en el agua y parte en la tierra • experimentan la metamorfosis (Ve la Lección 18.) • en el agua, aspiran por medio de branquias; en la tierra, por medio de pulmones • son de sangre fría • tienen patas palmeadas • piel húmeda y lisa • ponen huevos • la mayoría se fecundan externamente
REPTILES		• viven principalmente en la tierra • aspiran por medio de pulmones • son de sangre fría • tienen piel seca con láminas o escamas • la mayoría ponen huevos de cáscara dura • fecundación interna
AVES		• viven en la tierra • aspiran por medio de pulmones • son de sangre caliente • cuerpo cubierto de plumas • tienen huesos livianos • ponen huevos de cáscara dura • fecundación interna
MAMÍFEROS		• mayoría viven en la tierra • aspiran por medio de pulmones • son de sangre caliente • cuerpo cubierto de pelo • para la mayoría, las crías se desarrollan completamente dentro del cuerpo de la madre • producen leche para amamantar las crías

Utiliza lo que has leído acerca de los vertebrados y la tabla de la página 236 para contestar las siguientes preguntas sobre los vertebrados.

1. ¿Cuáles de los grupos de vertebrados tienen columna vertebral?_____

_____

2. ¿Cuáles son dos funciones de la columna vertebral?_____

_____

3. El esqueleto interno de un vertebrado se llama _____ .

                                        dermatoesqueleto, endoesqueleto

4. ¿Cuáles son los cinco grupos principales de los vertebrados?_____

_____

5. ¿Cuáles son los únicos vertebrados que

   a) tienen pelo?_____

   b) tienen plumas?_____

   c) pueden respirar en el agua y sobre la tierra?_____

   d) amamantan las crías con leche?_____

6. ¿Cuáles de los vertebrados

   a) son de sangre caliente? _____

   b) son de sangre fría? _____

7. ¿Cuáles de los vertebrados solamente aspiran por medio de agallas o branquias?

   _____

8. ¿Cuáles de los vertebrados tienen

   a) la fecundación interna?_____

   b) la fecundación externa?_____

9. ¿Cuáles de los vertebrados se cubren de láminas duras? _____

10. ¿En cuál de los vertebrados se desarrollan las crías dentro del cuerpo de la madre?

   _____

En la actualidad, los mamíferos son uno de los grupos de animales más exitosos de la tierra. En realidad, estamos ahora en la Época de los Mamíferos.

Los científicos clasifican los mamíferos en tres grupos principales. Se agrupan los mamíferos de acuerdo con la forma en que se desarrollan las crías.

Los mamíferos que ponen huevos

Probablemente no pensaste que los mamíferos ponen huevos, pero algunos sí lo hacen. El ornitorrinco y el oso hormiguero son dos tipos de mamíferos que ponen huevos. Las crías se desarrollan dentro de los huevos que tienen cáscara dura.

Figura C *Mamíferos que ponen huevos*

Mamíferos con bolsas

En los mamíferos con bolsas, las crías nacen durante una etapa temprana del desarrollo. No están completamente desarrolladas. Las crías terminan su desarrollo dentro de una bolsa de la madre. Los canguros, las zarigüeyas y las coalas son mamíferos con bolsas.

Figura D *Mamíferos con bolsas*

Los mamíferos placentarios

El grupo más grande de los mamíferos es el de los mamíferos placentarios. Estos mamíferos dan a luz a crías que se desarrollan por completo dentro del cuerpo de la madre. ¿Por qué se llaman "placentarios" a estos mamíferos? Las crías se unen a la madre por medio de un órgano como una bolsa. Este órgano se llama la placenta. La placenta alimenta al mamífero en desarrollo. También transporta hacia afuera los desechos.

Figura E *Mamíferos placentarios*

Mira la siguiente tabla. En la tabla hay una lista de los grupos principales de mamíferos placentarios. También incluye nombres de los animales que pertenecen a cada grupo.

NOMBRE COMÚN	EJEMPLOS
Mamíferos que comen insectos	topos, musarañas
Mamíferos que vuelan	murciélagos
Mamíferos sin dientes	armadillos, osos hormigueros, perezosos
Mamíferos roedores	roedores, como ratones y castores
Mamíferos como roedores	conejos, liebres
Mamíferos acuáticos	ballenas, delfines, marsopas, manatíes
Mamíferos con trompas	elefantes africanos, elefantes asiáticos
Mamíferos carnívoros	perros, osos, focas, morsas
Mamíferos ungulados (con pezuñas)	caballos, vacas, camellos
Primates	monos, gorilas, humanos

CIERTO O FALSO

En los espacios en blanco, escribe "Cierto" si la oración es cierta. Escribe "Falso" si la oración es falsa.

_____ **1.** Los mamíferos con bolsas ponen huevos.

_____ **2.** Los topos comen plantas.

_____ **3.** Los murciélagos son los mamíferos que pueden volar.

_____ **4.** El grupo más grande de los mamíferos es el de los mamíferos que ponen huevos.

_____ **5.** Los caballos y los camellos son mamíferos ungulados.

_____ **6.** Los mamíferos acuáticos aspiran por sus agallas.

_____ **7.** Los monos y los humanos son primates.

_____ **8.** La placenta es un órgano como una bolsa.

_____ **9.** Las personas son mamíferos placentarios.

_____ **10.** Los canguros y las zarigüeyas son mamíferos con bolsas.

EL SISTEMA MÉTRICO

CONVERSIONES MÉTRICAS-INGLESAS

	Sistema métrico al inglés	Sistema inglés al métrico
Longitud	1 kilómetro = 0.621 milla	1 milla = 1.61 km
	1 metro = 3.28 pies	1 pie = 0.305 m
	1 centímetro = 0.394 pulgada (pulg)	1 pulg = 2.54 cm
Área	1 metro cuadrado = 10.763 pies cuadrados	$1 \text{ pie}^2 = 0.0929 \text{ m}^2$
	1 centímetro cuadrado = 0.155 pulgada cuadrada	$1 \text{ pulg}^2 = 6.452 \text{ cm}^2$
Volumen	1 metro cúbico = 35.315 pies cúbicos	$1 \text{ pie}^3 = 0.0283 \text{ m}^3$
	1 centímetro cúbico = 0.0610 pulgada cúbica	$1 \text{ pulg}^3 = 16.39 \text{ cm}^3$
	1 litro = .2642 galón (gal)	1 gal = 3.79 L
	1 litro = 1.06 cuartos	1 cuarto = 0.94L
Masa	1 kilogramo = 2.205 libras (lb)	1 lb = 0.4536 kg
	1 gramo = 0.0353 onza (oz)	1 oz = 28.35 g
Temperatura	Celsio = 5/9 (°F −32)	Fahrenheit = 9/5 °C + 32
	0 °C = 32 °F (Punto de congelación del agua)	72 °F = 22 °C (Temperatura ambiental)
	100 °C = 212 °F (Punto de ebullicióndel agua)	98.6 °F = 37 °C (Temperatura del cuerpo humano)

UNIDADES MÉTRICAS

La unidad básica se enseña con letras mayúsculas.

Longitud	Símbolo
kilómetro	km
METRO	m
centímetro	cm
milímetro	mm

Área	Símbolo
kilómetro cuadrado	km^2
METRO CUADRADO	m^2
milímetro cuadrado	mm^2

Volumen	Símbolo
METRO CÚBICO	m^3
milímetro cúbico	mm^3
litro	L
mililitro	mL

Masa	Símbolo
KILOGRAMO	kg
gramo	g

Temperatura	Símbolo
grado Celsio	°C

ALGUNOS PREFIJOS MÉTRICOS

Prefijo		Significado
micro-	=	0.000001 ó 1/1,000,000
mili-	=	0.001 ó 1/1000
centi-	=	0.01 ó 1/100
deci-	=	0.1 ó 1/10
deca-	=	10
hecto-	=	100
kilo-	=	1000
mega-	=	1,000,000

ALGUNAS RELACIONES MÉTRICAS

Unidad	Relación
kilómetro	1 km = 1000 m
metro	1 m = 100 cm
centímetro	1 cm = 10 mm
milímetro	1 mm = 0.1 cm
litro	1L = 1000 mL
mililitro	1 mL = 0.001 L
tonelada métrica	1 Tm = 1000 kg
kilogramo	1 kg = 1000 g
gramo	1 g = 1000 mg
centigramo	1 cg = 10 mg
miligramo	1 mg = 0.001 g

GLOSARIO/ÍNDICE

incompleta: flor que tiene sólo pistilos o sólo estambres, 181

ingestión: acción de comer alimentos, 25

invertebrados: animales sin columnas vertebrales, 219

laminillas: estructuras que producen las esporas de los hongos, 153

larva: etapa del desarrollo del insecto en que se parece a un gusano, 227

longitud: distancia entre dos puntos, 1

masa: cantidad de materia de que se constituye un objeto, 1

meiosis: proceso por el cual se forman los gametos, 125

membrana celular: "piel" delgada que encierra la célula y que le da forma a la célula, 41

metamorfosis: cambios durante las etapas del desarrollo de un organismo, 117, 227

métodos científicos: guía para solucionar problemas, 9

microscopio: aparato que agranda o amplifica las cosas más de lo que son en realidad, 49

mitosis: tipo de división celular en que el núcleo se divide, 71

mohos viscosos: protistas que tienen dos etapas de vida, 147

ninfa: insecto joven que se parece al adulto, 227

núcleo: la parte de una célula que controla todas las actividades de la célula, 41

organismos: seres vivos, 19

óvulo: estructura pequeña en que se desarrollan las ovocélulas en una flor, 181

pelos: estructuras pequeñas como pelitos que ayudan a la raíz a absorber más agua, 167

peso: medida de la atracción de la gravedad sobre un objeto, 1

pistilo: órgano reproductor femenino de una flor, 181

polen: célula reproductora masculina de una planta, 187

polinización: movimiento de polen desde un estambre a un pistilo, 187

polinización cruzada: cuando el polen se lleva del estambre de una flor de una planta al pistilo de una flor de otra planta diferente, 187

polinización directa: cuando el polen se lleva del estambre de una flor de una planta al pistilo de otra flor de la misma planta, 187

propagación vegetativa: reproducción asexual en las plantas, 95

protistas: organismos simples que tienen un núcleo verdadero, 147

protozoos: protistas de una célula que se parecen a animales en que no pueden fabricar sus propios alimentos, 147

quitina: sustancia dura que forma las paredes celulares de los hongos, 153

regeneración: capacidad de un animal para reproducir o restaurar partes del cuerpo que se han perdido, 89

reino: grupo de clasificación más grande, 131

reproducción: proceso de vida en que los organismos engendran nuevos organismos, 65

reproducción asexual: clase de reproducción que requiere un solo padre (una madre), 65

reproducción sexual: clase de reproducción que requiere dos padres, 65

respiración: proceso por el cual los organismos sacan energía de los alimentos, 25, 175

respuesta: reacción a un cambio en el medio ambiente, 19

rizoides: estructuras como raíces que fijan los hongos, 153

semilla: estructura reproductora, 159; estructura que contiene una planta en desarrollo y la alimentación para que crezca, 193

símbolos de advertencia para la seguridad: señales que avisan sobre riesgos y peligros, 15

taxonomía: ciencia de clasificar los seres vivos, 131

temperatura: medida del calor o del frío de algo, 1

tropismo: respuesta de las plantas a los estímulos, 213

tubérculo: tallo subterráneo, 95

vertebrados: animales que tienen columnas vertebrales, 233

volumen: medida de la cantidad de espacio que ocupa un objeto, 1

zigoto: óvulo fecundado, 103